AU-DELÀ DU VOYAGE

Note de l'éditeur

C'est par choix éditorial que le Méridien publie, dans sa collection «Témoignage», des premiers récits autobiographiques d'auteurs d'ici.

Ces ouvrages sont donc publiés à l'état brut, c'est-à-dire qu'ils respectent intégralement le style littéraire original de chaque auteur.

MARCEL GAGNON

AU-DELÀ DU VOYAGE

Méridien

ÉDITIONS DU MÉRIDIEN

Données de catalogage avant publication (Canada)

Gagnon, Marcel, 1945-

    Au-delà du voyage : essai autobiographique

    ISBN 2-89415-015-6

    1. Gagnon, Marcel, 1945-   . 2. Peintres – Québec (Province) –
Biographies. 3. Sculpteurs – Québec (Province) – Biographies.
I. Titre.

ND249.G33A3 1990   759.11   C90-096134-1

Conception graphique: Jean-Marc Poirier
Montage: Andréa Joseph

© 1990, Éditions du Méridien

Dépôt légal — 1er trimestre 1990

Bibliothèque nationale du Québec
Bibliothèque nationale du Canada

Imprimé au Canada

Je dédie ce livre à ma compagne Ghislaine et à mes enfants Isabelle, Jean-Pierre, Guillaume et Philippe pour leur compréhension et la liberté qu'ils m'ont accordée afin de réaliser ce projet.

Merci à ma sœur Louise qui a consacré beaucoup d'heures de loisirs à la correction de mon manuscrit.

Merci à Vianney Gallant pour son support moral et technique.

Merci à Raymonde et Victor Martin pour avoir cru en moi et avoir été de bons ambassadeurs auprès de mon éditeur et merci à François Martin, président des Éditions du Méridien, pour sa diligence.

LA VOIE

Rendu au milieu de ma vie,
j'ai cherché à savoir: «À quoi ça sert la vie?»
J'ai cherché dans les sports et les voyages.
J'ai cherché dans la politique et les performances,
j'ai cherché dans les religions et les livres,
j'ai cherché dans le travail acharné et le luxe.
J'ai cherché de toutes les façons,
j'ai même cherché des façons de chercher.

Un beau jour, j'ai trouvé sans chercher.
J'avais cherché trop loin, à l'extérieur, dans les autres.
J'avais cherché l'impossible pour m'apercevoir
qu'il n'y avait rien à trouver.
On le possède tous à l'intérieur de nous.

Maintenant que je sais que la vie est faite de
petits et de grands moments présents.
Maintenant que je sais qu'il faut se détacher
pour aimer plus fort.
Maintenant que je sais que le passé ne m'apporte rien.
Maintenant que je sais que le futur me fait parfois
souffrir d'angoisse et d'insécurité.
Maintenant que je sais qu'on a pas besoin de voyager
dans l'astral pour être heureux sur cette terre.
Maintenant que je sais que la bonté et la simplicité
sont essentielles, et que pour rendre les autres heureux,
je dois l'être d'abord.
Maintenant que je sais qu'on peut aider les autres
surtout par l'exemple et le rayonnement.

Maintenant que je sais que l'acceptation est un gage
de bonheur et que la nature est mon meilleur «Maître».
Maintenant que je sais: la réponse vient du même
endroit que la question.
Maintenant que je sais que je vis.
Alors maintenant je vis tout simplement.

Marcel Gagnon

Chapitre 1

Le 2 janvier 1989, aux petites heures du matin, il faisait encore très noir. J'avais eu de la peine à dormir. Toute la famille s'était couchée très excitée, Ghislaine, mon épouse, Philippe, 11 ans et Guillaume, 13 ans. Les enfants nous avaient fait promettre de partir la nuit. Oui! ce matin, nous partons pour le Mexique... un vieux rêve qui est en train de se réaliser.

Hier, nous avons chargé plusieurs choses dans le motorisé, mais il fallait tout prévoir, des bottes d'hiver aux maillots de bain. Moi, je me suis occupé de tout ce qui concerne la mécanique, l'huile, les pièces. Ghislaine, des vêtements et de la bouffe; juste le nécessaire, car la nourriture est moins chère aux États-Unis et les deux premiers jours, nous arrêterons quelquefois au restaurant, à cause du froid. Il ne faut surtout pas que j'oublie mon attirail de peinture et de pinceaux.

Les petits sont prêts et de bonne humeur et comme prévu, nous partons la nuit. Nous laissons la maison à notre fille Isabelle, 19 ans, et à Jean-Pierre, 17 ans.

En sortant de la cour, un banc de neige. En prenant un peu de vitesse, le motorisé passe à travers. Êtes-vous déjà parti le matin quand le soleil n'est pas encore levé, mais que vous voyez sa luminosité, comme c'est beau! ... les lumières scintillent, ça fait un peu surréel. Les enfants envoient des saluts de la main; nous sentons que nos quatre cœurs battent de joie.

Il fait très froid, le motorisé craque. On dirait que les roues sont en bois. La radio «griche», je la referme. Après tout, nous n'avons pas besoin de radio; d'une façon ou d'une autre, nous sommes surexcités. Nous ne pourrions pas nous concentrer. Une bourrasque de neige vient de passer. Je perds la route un instant. Je rencontre une auto venant en sens inverse juste à l'endroit où, il y a deux jours, un résident de Mont-Joli a perdu la vie en de pareilles circonstances.

Je roule toujours, pas très vite cependant, car c'est maintenant l'aurore. Il faut se rendre à Québec où nous sommes invités à dîner. Ce sont de nouveaux amis qui ouvrent une galerie d'art: «La relève contemporaine». Je leur apporte cinq tableaux représentant mes personnages. Plus nous nous dirigeons vers Québec, moins il fait beau. Vers 13 heures, nous y arrivons enfin. Nous cherchons un peu, puis nous trouvons la fameuse maison. Quelle maison! 25 mètres de long, dans une rue où toutes les maisons sont grosses. Nous entrons par le garage. Guillaume et moi nous remarquons qu'il y a une Corvette et une Jaguar. Je m'empresse de nommer les voitures, mais je reste très surpris de constater qu'à 13 ans, mon fils les connaît déjà. En me parlant comme à moi-même, je me dis: «Ça va coûter cher plus tard!»

Nous sonnons à la porte et une belle dame élégante vient nous répondre, c'est Marie-Klaudia. Nous nous sentons bienvenus chez eux. Jacques nous fait faire le tour du propriétaire, et surtout, nous montre leur collection de tableaux. Je me souviens qu'il y avait plusieurs noms connus. La maison était magnifique. La chambre des maîtres à elle seule était grande comme tout un appartement.

Nous nous mettons à table, avec entrée, plat principal, dessert et café. En mangeant, je suis impressionné par un mannequin en stuc-plâtre. Ça fait des formes très bizarres, mais j'aime. Après une heure de bavardage, nous repartons pour Montréal, avec tous les «vous êtes chanceux de partir en voyage». Il est environ 14 heures 30. Nous devrions entrer à Montréal vers 17 heures si tout va bien. Enfin nous sommes repartis, les enfants avaient hâte. Les amis étaient très intéressants mais la vie de nomade a aussi ses charmes.

Je roule très doucement. Il neige. On dirait que la chaussée est sur asphalte. Tout d'un coup, Ghislaine crie... attention! Je n'avais pas vu les autos qui faisaient des «tourniquets» en avant. Vous savez, ça arrive très vite. Je veux freiner, plus rien... c'est glacé. On dirait que ça va plus vite. Je lâche tout et j'espère que les autos ne seront plus là quand moi j'y serai.

Au même moment, toute une aventure se déroule dans ma tête. Je me vois assis au volant d'une auto de course. Je dois avoir 20 ans environ. Mon auto, si l'on peut appeler ça ainsi, s'appelait «la batmobile numéro 2». J'avais hésité à lui donner le numéro 1, car il y en avait déjà une «bat» qui portait ce nom. Comme je vous disais, j'étais sur une piste de course à Sainte-Flavie. C'était une ancienne piste de chevaux qui avait été modifiée en piste de «stock car». Je fréquentais Ghislaine, depuis deux ans environ. Elle ne voulait pas que je «course» mais ce dimanche-là je l'avais convaincue que ce n'était pas dangereux et de mauvais cœur, elle avait assisté à la course.

Le départ avait été donné. Nous étions dans le quatrième tournant. Je suis en train de doubler un autre coureur, mais il me coupe en avant, pour ne pas percuter l'autre voiture. Je donne un violent coup de volant qui projette mon bolide sur un relais de terre que la niveleuse laisse près des poteaux d'électricité au centre; vu la hauteur, mes roues restent prises de chaque côté. Comme je roule à 100 kilomètres à l'heure, l'inévitable se produit. J'entre en collision avec un des poteaux de 70 centimètres de circonférence. Il se casse en deux bouts. Les fils électriques se décrochent et viennent s'arrêter à 5 centimètres du toit de ma «bat». Les supports du moteur et de la transmission s'arrachent et ma tête subit le contrecoup: ma figure se cogne violemment sur le volant. Je casse mes lunettes, le cœur me bat fort et j'en suis quitte pour une peur bleue, sans aucune blessure grave.

Je reviens à moi. C'est l'hiver. Mon véhicule glisse, glisse. Il y a deux autos sur l'autoroute 20. Elles tournent, tournent. J'approche de plus en plus. L'une d'elles se décide enfin d'aller dans le banc de neige, l'autre s'immobilise. Je ferme presque les yeux. Je donne un petit coup de volant. Ça passe. En tout cas, je n'ai entendu aucun bruit. J'évite le fossé de justesse. Je laisse aller le motorisé sans freiner. Nous reprenons l'autoroute... Ouf! nous n'avons rien. Tout le monde est content. Les enfants ont les yeux brillants. Je suis fier d'avoir eu le réflexe de ne pas freiner. Merci mon Dieu. Nous continuons à pas de tortue.

COMMENT NE PAS CROIRE, QUAND À CHAQUE HIVER LES FLEURS MEURENT ET REVIVENT AU PRINTEMPS

Six heures pour le trajet Québec-Montréal; quatre heures de plus qu'il avait été prévu. Nous arrivons enfin chez le beau-frère Ti-Rouge qui est marié avec ma sœur Hélène. Elle s'intéresse beaucoup aux questions spirituelles. J'aime jaser avec elle de sentiments. Ti-Rouge lui, comme on l'appelle, c'est un gars de Longueuil, un Montréalais qui, avant de connaître Hélène n'était jamais allé dans le Bas du Fleuve et en Gaspésie. La première fois qu'il est allé, il est descendu avec moi et pour lui jouer un tour, en passant à La Pocatière, je lui ai dit:

— Ti-Rouge, ici c'est la Poche à Pierre.

Il avait dû remarquer ce nom, car en racontant le voyage à mon père, il avait parlé de la Poche à Pierre. Mais notre Ti-Rouge, malgré ses petits caprices, nous l'aimons bien, parce qu'il est différent. Hélène et Serge (Ti-Rouge) ont deux enfants, Geneviève et Mélanie.

Nous avons passé la nuit chez eux, car c'était encore trop froid pour dormir dans le motorisé la deuxième journée du voyage. Nous nous sommes levés à 7 heures du matin. Il faisait gris, et la température atteignait au moins 20 sous zéro. Nous partons vers la frontière des États-Unis (Champlain). Tout va bien et nous nous dépêchons de laisser derrière nous la poudrerie et le froid. Les autoroutes sont belles, tout le monde est heureux. Moi, j'ai un peu mal au cou, je fais quelques exercices. Je tourne le cou à plusieurs reprises, à gauche, à droite, mais ce n'est pas suffisant. C'est du stress et pour le faire sortir, il va falloir prendre les grands moyens...

Il faut que je vous raconte, comment la première fois, j'ai fait de l'hypnose. Ça fait environ 24 ans. D'abord, il faut dire que je me suis toujours intéressé au pouvoir que nous avons et que nous pouvons développer. Je m'étais acheté un livre traitant de l'hypnose. Dans ce temps-là j'étais bûcheron pour la Quebec North Shore à Baie-Comeau à cent milles du bord, comme disent les gars. Nous montions dans un autobus pour faire le trajet. Ça prenait cinq heures au moins. Nous étions parfois un mois et demi à deux mois sans voir nos blondes. Nous avions le temps de lire quoi! Durant mon premier séjour, j'avais lu un livre complet sur le sujet et ça me trottait dans la tête.

Moi, je demeurais sur la rive sud du Saint-Laurent et il me fallait prendre le bateau pour revenir. J'avais connu, dans les chantiers, un homme de 40 ans. J'en avais environ 20. Je suis assis sur un banc. L'homme est à côté de moi. Une belle fille me regarde depuis au moins une demi-heure. Il me vient à l'idée de jouer un tour à cet ami. Je lui dis:

— Tu sais, moi je suis capable d'endormir les gens. Regarde la fille en face, je vais l'endormir.

Ensuite, j'oublie ça. Au bout de quelques minutes, je me relève à nouveau la tête... la fille dort. Je donne un coup de coude à mon compagnon. Je lui redis:

— Regarde, je l'ai endormie.

Il me demande avec un peu de crainte, je crois:

— «Est-ce que tu peux le faire si quelqu'un n'est pas consentant?

Je lui réponds en connaisseur:
— Non, il faut que tu sois consentant.»
Ça reste comme ça.

Moi, je sortais avec une fille de Sainte-Jeanne-d'Arc, la paroisse voisine de chez nous. Je conte ça à ma blonde, qui ne me croit pas vraiment. Je la décide à faire un essai. Je me sers de la formule apprise dans le livre et à mon grand étonnement, je l'endors. Je la réveille, j'avance l'horloge pour lui prouver qu'elle a dormi. Elle ne me croit toujours pas, car dans l'hypnose il faut dire au sujet, tu vas t'en souvenir et si tu ne le fais pas, pour eux c'est un blanc total. Pour convaincre ma blonde, un soir sa sœur est restée pour voir l'expérience. Pendant qu'elle dormait, nous lui avons fait faire des rôties et du café et après je l'ai réveillée. De toute façon, elle ne m'a jamais cru.

C'est un peu à ce moment-là que j'ai commencé à m'intéresser à tous ces pouvoirs que nous possédons tous. Pour revenir à mon mal de cou, je ne veux pas faire ce voyage de 15 000 kilomètres ainsi. Il faut que je pratique une technique que j'ai apprise avec le temps. Je décide donc de prendre les grands moyens. Pour moi, prendre les grands moyens, c'est me détendre, mais il faut que je conduise. Je vais me détendre le côté gauche complètement, et je vais garder le côté droit pour conduire et penser, et ainsi de suite. Après, le droit, et je tiendrai le gauche en activité.

Je commence donc en me répétant: je détends mon pied gauche, mon mollet, mon genou, etc. Je me sentais comme divisé en deux, une moitié engourdie et l'autre en action. C'est une technique extraordinaire pour voyager sur les autoroutes, peut-être moins sur la route du Mexique, où tout le corps en activité n'est pas encore suffisant. Après quelques minutes de détente, le stress disparaît peu à peu.

ARRÊTONS DE NOUS ÉTOURDIR PAR LES DROGUES ET L'ALCOOL POUR MIEUX SENTIR NOTRE INTÉRIEUR

Ce soir, nous couchons dans une halte routière près de l'autoroute avec d'autres gens. Ce midi, nous serons capables de manger dans le motorisé. La chaufferette à gas fonctionne, c'est frais, mais nous sommes confortables. En roulant, Ghislaine nous distribue des morceaux de fromage et des raisins. Ça fait du bien. Nous arrêtons, le temps de nous faire un bon café avec du vrai café fraîchement moulu la veille. Je fais le tour du motorisé, tout va bien. Ça sent un peu la batterie qui bout. Nous continuons notre route encore quelques heures. Nous arrêtons faire le plein de carburant. C'est la moitié du prix que celui du Québec. Pour 24 dollars, nous remplissons le réservoir alors qu'au Québec, ça coûte 55 dollars. Les fameuses taxes!

Ça sent encore l'acide de batterie. Il commence à faire noir. Il y a sûrement un problème puisque les lumières du motorisé n'éclairent presque plus. L'aiguille de l'alternateur fait des siennes. Je me décide d'arrêter dans un garage. En cherchant, je trouve dans le coin un immense terrain éclairé d'une grosse lampe de rue. J'arrête le motorisé en dessous pour bien voir les batteries lorsque j'ouvrirai le capot, car dans un motorisé, il y a deux batteries. Après les avoir regardées, je me rends compte qu'il y en a une qui est toute gonflée et très chaude. Je peux à peine me tenir les mains dessus tellement elle est bouillante.

Je décide de la changer. En plein vent, il ne fait pas très chaud. J'en avais apporté une de plus au cas où... Je la sors du coffre à l'intérieur du motorisé. Je sors aussi ma lampe 12 volts que je branche sur la bonne batterie. Je me sens très bien malgré le problème. J'avais pris la précaution d'apporter des vêtements chauds. Je suis presque content que cela arrive. Ça me fait prendre l'air. Il faut profiter de chaque moment. Ma conception de la vie a bien changé. Pourquoi ne pas profiter au maximum de tout ce qui peut nous arriver.

M. Gagnon
89

Tout en changeant ma batterie je me rappelle des souvenirs de jeunesse, car après avoir été bûcheron sur la Côte-Nord, j'ai été mécanicien. D'abord à La Rédemption, mon village natal. À 21 ans, j'avais un garage. J'avais loué l'ancien garage d'Adéodat Brochu, qui avait toute une histoire. Monsieur Brochu possédait les motoneiges et les autobus du coin. C'est en motoneige que nous nous rendions à la messe étant petits. Nous nous y entassions comme des sardines et il y avait de la place pour 12 personnes environ. Des fois, nous étions 20 au moins. Les autobus faisaient la navette entre La Rédemption et Mont-Joli. Cela m'a toujours fasciné, les taxis, les voyages, le commerce. Mon père a eu des camions, un taxi. Cela m'a marqué, je crois. Eh oui! à mon garage j'avais acheté 19 autos usagées, sans trop connaître leur valeur. Un fond de cour, comme on dit dans le milieu. C'était chez Boulevard Chevrolet à Rimouski. Ça prenait du culot! À l'époque, je n'avais pas un sou vaillant. Je me suis arrangé pour emprunter le montant nécessaire chez Les Mutuellistes à Mont-Joli. Monsieur Deschênes, qui est toujours gérant aujourd'hui, m'avait dit: «Je te fais confiance. Je connais ton père Léopold. Si tu es comme lui, tu me paieras bien.» C'est vrai, je l'ai payé. Même Ghislaine m'a aidé un peu, car lorsque je me suis marié, je n'avais pas encore fini de payer. C'était quand même le bon temps où l'on ne s'en faisait pas trop.

Maintenant la nouvelle batterie est posée. Je dépose la vieille dans un baril qui se trouvait là. Je demande à Guillaume de mettre le moteur du motorisé en marche. Ça fonctionne comme du neuf. Je repars tout fier d'avoir réussi sans problème, fier aussi d'avoir pensé à des pièces de rechange. Nous roulons environ 75 kilomètres. Les enfants consultent les cartes pour repérer les haltes routières. Ils m'informent qu'il y en aura bientôt une et en effet, à un kilomètre, nous quittons l'autoroute. Il y a déjà un motorisé sur place. Nous nous stationnons doucement près de lui sans le déranger, avec quelques 700 kilomètres dans le corps comme on dit.

Je me lève de mon siège, marche un peu dans le motorisé pour me dégourdir. Ghislaine allume le poêle à gas et fait chauffer l'eau. Nous ne ferons pas un gros souper. Un peu de fromage, de pain ...un bon café. Les enfants sont joyeux, la vie est belle. Nous terminons de manger, il est environ 22 heures. Il est temps de se coucher, de défaire la table qui fait un lit, de descendre le panneau du lit d'en avant au-dessus des sièges. Ouvrir un peu le toit ouvrant au cas où il y aurait une fuite de gas. Ce soir, nous ne laverons pas la vaisselle dans le lavabo. D'ailleurs, nous avons utilisé des assiettes de carton qui sont maintenant à la poubelle.

Nous voilà couchés. Guillaume et Philippe se retournent plusieurs fois dans leur lit avant de s'endormir. Ils se chicanent un peu. L'autre tire toute la couverture. Enfin! ils s'endorment. Nous, nous sommes couchés plus haut. Je serre Ghislaine contre moi. Elle a un peu froid. Elle me dit que je suis plus gras qu'elle. D'ailleurs, c'est vrai, je suis un peu gros. Cinq à dix livres de trop. Cent-soixante-quinze livres environ, et Ghislaine pèse à peine cent-dix livres. Les gros ça sert à quelque chose.

Nous parlons un peu de notre première journée qui a été extraordinaire. Nous pensons un peu à nos deux autres enfants, Jean-Pierre et Isabelle. J'espère que Jean-Pierre fait son gentil avec sa grande sœur qui le «garde». Isabelle, notre fille, a 19 ans. Elle vit en appartement avec son ami Dany. Tout à l'image d'Isabelle ce Dany! Même ma mère dit qu'ils se ressemblent. Jean-Pierre, lui, le plus vieux de nos gars, commence à sortir de l'adolescence sans trop de dommages. Il est en secondaire V et il fréquente l'école privée de Rimouski. Il est très intelligent et il veut devenir comptable.

Nous nous endormons avec le bruit des camions diesel qui arrivent et qui repartent. C'est notre première nuit et nous nous sentons quand même assez en sécurité. Nous nous réveillons vers 7 heures. Il faut déjeuner et repartir. Les enfants et nous avons hâte de ne plus voir de neige. Nous voulons voir du soleil sur notre peau. Nous nous faisons cuire des rôties et Guillaume commence à établir son record de mangeur de rôties. Ce matin, 7, moi, 5, Philippe, 3 et Ghislaine, 2. Nous buvons tout le café que j'ai fait dans le thermos. J'en fais d'autre pour la route.

Nous partons enfin. J'ai hâte! Il me semble que nous n'en finissons plus de ranger. Je suis impatient, mais il faut le faire parce que sur la route, on ne sait jamais ce qui se passe. S'il faut freiner, on ne doit pas recevoir le grille-pain derrière la tête.

Tout en écrivant ce livre, je travaille au Centre d'Art à Sainte-Flavie. Je suis en train de faire du laminage. Vous savez, la façon moderne de protéger les photos. Je lamine aussi mes aquarelles.

Je suis très heureux, je viens de vendre une peinture à l'huile à un monsieur de Saint-Damase. Il l'a achetée pour l'offrir à sa femme. Un cadeau de la Fête des Mères. Un paysage de 1980. Aujourd'hui, nous sommes le 13 mai 1989. C'est un samedi. Il pleut et le vent est très violent.

J'ai commencé à écrire mon livre hier seulement. J'ai fait un essai de six pages que j'ai fait lire à Ghislaine en arrivant de La Causerie, une petit bar de Mont-Joli où nous allons parfois prendre une bière, écouter un chansonnier. Après avoir lu les premières pages, je dis à Ghislaine:

— Tu me dis la vérité, qu'en penses-tu?

Elle me dit qu'«il faudrait plus de détails pour que le lecteur entre dans la scène».

J'étais d'accord avec ça. C'est évident que je manque d'expérience. Pour la grammaire française et la syntaxe, je peux toujours me faire aider par un expert.

Ça fait quelques années que je pensais écrire, mais je me disais que c'était très difficile et prétentieux de vouloir conter notre vie. Aujourd'hui, je pense différemment; même le plus grand imbécile a des choses à dire. Il a un cœur, des sentiments. Il faut se laisser aller tout simplement. Il faut écrire pour soi. Tant mieux si d'autres ont envie de nous lire.

Hier, durant la soirée, j'en parlais avec Ghislaine au bar. Je lui disais que j'avais décidé d'écrire parce que j'avais envie de dire des choses. J'ai eu un grand frisson. J'ai eu envie de parler de mon père, de ma mère, de ma famille. Nous avons tellement de souvenirs qui peuvent être racontés. J'ai eu envie d'écrire ce livre pour le monde ordinaire, pour le simple plaisir de parler de mes expériences et de mes recherches.

J'AI TOUJOURS RÉALISÉ CE QUE J'AI EU L'AUDACE DE PENSER

Je reviens donc. Cinq janvier 1989. Nous sommes sur la route vers Disney World, en Floride. Philippe et Guillaume ont hâte de voir ce monde fantastique que nous avons déjà vu, Ghislaine et moi, il y a deux ans, avec mon oncle Armand Gagnon, le frère de mon père, et ma tante Emilia. Tout un «mon oncle» et toute une «ma tante». Même si ce n'est pas de la même manière, ils ressemblent à mes parents. Ah oui! ma tante Emilia est la sœur de ma mère Arthémise.

Comme je disais, en 1987, nous sommes partis avec eux pour la Floride pour un mois. Mon oncle a un motorisé de 7 mètres de marque Unik. On peut y coucher six personnes. À 70 ans, le «mon oncle» est toujours en grande forme. C'est un ancien chauffeur d'autobus et de camions. Le trafic ne lui fait pas peur sur une route à deux voies ou six voies, il conduit comme beaucoup de jeunes et mieux encore. Je me rappelle souvent ce voyage et l'histoire de la machine à laver que mon oncle m'a racontée.

Dans l'ancien temps, personne ne prononçait le mot amour, ou faire l'amour. Il y avait des mots, des codes que les parents se disaient quand ils voulaient faire l'amour. Le vieux disait à sa vieille:

— «Ce soir, ma femme, on fait le lavage.

On savait ce que ça voulait dire. Et quand la femme répondait:

— Non, pas ce soir, la machine est brisée.»

Ça voulait dire qu'elle refusait. Avez-vous déjà essayé de faire votre «lavage» dans un motorisé, quand vous êtes deux couples et que vous ne voulez pas que ça bouge. Il faut quasiment faire notre lavage à la main, comme mon oncle disait en farce.

Toujours en route vers la Floride! Nous reconnaissons des coins visités il y a deux ans. Ça va bien. Un rayon de soleil nous arrive. Nous arrêtons dans une halte routière pour aller à la toilette et marcher un peu.

Je n'ai toujours pas fait ma méditation depuis que nous sommes partis. Il va falloir trouver du temps. J'en parle avec Ghislaine. Elle me dit que ça lui manque elle aussi. Nous convenons de nous trouver du temps à partir de demain. Pour ma part, quand je fais ma relaxation, la moitié du corps à la fois, c'est une certaine façon de faire de la méditation.

Nous sommes dans l'après-midi. Il est environ 15 heures. Je roule à 105 kilomètres/heure et tout d'un coup, on dirait que le motorisé ne veut plus avancer. Il ne roule plus qu'à 60, même si l'accélérateur est au fond. Je me décide d'arrêter sur le bord de l'autoroute. Je fais le tour du motorisé, j'ouvre le capot. On dirait que le moteur manque d'air. Je ne veux pas croire que c'est grave. Je remonte à bord et je continue ma route. La situation ne s'améliore pas. Je décide alors de sortir de l'autoroute. J'arrête près d'une ferme.

Je dis à Ghislaine:

— Je vais voir un peu ce qui se passe.

Je regarde le cadran-indicateur, car la lumière à l'huile avait un peu clignoté. Il en manque peut-être un peu dans le moteur. Je décide de changer d'huile et de filtre avant de faire un pronostic plus poussé. Par malheur le filtre à l'huile ne fait pas. Je dois vieillir. Il y a vingt ans, j'aurais choisi le bon modèle chez Canadian Tire à Rimouski. Je fais quand même le plein d'huile. Guillaume et Philippe m'entourent et me posent des questions, s'intéressent et sont surpris que je connaisse autant la mécanique (même si je n'ai pas acheté le bon filtre). Ils savaient que j'avais été mécanicien, mais je n'ai pas pratiqué souvent devant eux. Ghislaine, pour sa part, écrit ou lit, je crois. Je sais qu'elle est assise à la table et j'ai oublié de vous dire que Ghislaine a l'intention d'écrire son livre elle aussi. Même longtemps avant moi, elle y pensait. Elle a décidé d'écrire tout en voyageant. Elle a un atout que je n'ai pas. Elle est très bonne en français.

Après que tout ait été mis en place, je fais une vérification. Je demande à Guillaume de mettre le contact. Rien, le moteur tourne, mais ça ne démarre pas. Je dévisse une bougie, vérifie s'il y a du feu. Il y en a. J'enlève le capot du carburateur pour vérifier s'il y a de l'essence au cas où ce serait la pompe. Tout semble en ordre de ce côté. Je demande à Ghislaine d'essayer de le faire démarrer. De nouveau, rien. Il tourne très vite, mais pas d'explosion. Je commence à penser à un trouble très grave. Peut-être la chaîne de réglage de l'allumage. J'espère que ce n'est pas ça. S'il fallait!

J'ai bien apporté des outils, mais pour changer la chaîne, il faut des joints d'étanchéité, et le nécessaire pour sortir la poulie en avant qui est mise en place avec pression. Je me décide quand même de poursuivre mes recherches. Il commence à faire noir et il faut que je fasse quelque chose. Je dévisse le capot qui est situé entre les deux sièges pour aller au distributeur d'allumage. Il faut y aller par l'intérieur. Je tourne le distributeur dans tous les sens en essayant de le faire démarrer. Le verdict final: la chaîne est sautée de quelques dents, ce qui retarde la compression qui pousse l'essence sur la bougie. L'essence n'arrive plus en même temps que le feu.

Entre temps, Ghislaine avait fait cuire des patates et de la viande, et fait une petite salade. Je prends quelques minutes pour manger. Nous parlons de ce que nous allons faire, mais sans trop nous tracasser. Après tout, nous sommes en vacances et nous devrions être bien partout, dans toutes les conditions et nous avons deux mois devant nous.. Ça fait partie du voyage de rester en panne, la preuve, c'est intéressant, je vous le raconte dans ce livre.

Il est 19 heures 30 environ. Il fait très noir. Je sors dehors. J'aperçois au loin les lumières d'une station-service à un ou deux kilomètres de l'autre côté de l'autoroute et je trouve cela un peu loin. Ghislaine et Guillaume se décident d'aller téléphoner chez le fermier. Il y a une longue entrée et on entend japper les chiens. J'irais bien mais je ne parle presque pas l'anglais. Ghislaine parle un peu, assez pour se débrouiller. Je suis un peu inquiet, mais on dirait que quand ça fait un bout de temps qu'on se trouve dans un endroit on l'apprivoise, et l'on devient plus brave. On se sent plus en sécurité.

Ghislaine revient après 15 minutes environ. Elle me dit que le monsieur a essayé d'appeler et que ça ne fonctionnait pas. Nous ne sommes pas plus avancés! Tout d'un coup, le fermier sort de sa cour en camion. Il s'arrête à notre niveau et nous fait signe qu'il se rend directement à la station-service. Au bout de 10 minutes, il revient nous dire que la dépanneuse s'en vient. Comme promis, elle arrive, recule en avant du motorisé, l'homme installe les chaînes et nous voilà partis pour la station-service, le devant en l'air. Nous nous croirions en Concorde, mais en plus ralenti.

En arrivant là-bas, un autre homme vient nous voir. Je lui fais comprendre que c'est la chaîne de réglage d'allumage. Il me croit sur parole et il me dit qu'il n'a pas de mécanicien et pas de pièces pour ça. C'est ce que je pensais d'ailleurs. Les pièces on les retrouve seulement chez les dépositaires Chrysler.

Au bout de quelques minutes, il revient nous dire qu'il ne peut pas réparer mais qu'il va essayer de nous remorquer jusque chez un dépositaire, à 40 kilomètres plus loin.

Après une autre heure d'attente, nous voilà repartis sur l'autoroute, mais dans le bon sens, vers la Floride. Ghislaine me dit:

— C'est pas si pire, nous roulons quand même vers notre objectif.

Vu que la communication ne se faisait pas trop bien avec

l'homme de la station-service, nous ne savions pas trop où nous allions, mais nous lui faisions confiance. Nous n'avions pas le choix. Nous nous amusions d'ailleurs beaucoup. Les enfants surtout. Ils n'avaient jamais fait de voyage en dépanneuse, assis dans une automobile, encore moins dans un motorisé.

Après trois quarts d'heure à peu près, nous sommes sortis de l'autoroute, avons tourné à gauche, puis à droite. Nous arrivons enfin dans la cour d'un beau gros garage. Les autos bien rangées. C'est tellement grand que le gardien se promène en voiturette électrique. L'homme de la dépanneuse nous laisse en face d'une porte de garage et nous dit que nous serons les premiers demain matin.

Après son départ, je dis à la gang:

— «Eh bien! on ne paiera pas de camping cette nuit.

C'est toujours ça. Et Ghislaine me dit en farce:

— T'as pas changé, après 20 ans, tu m'emmènes encore faire du parking dans les cours de garage.»

Et là je revois bien des choses dans ma tête.

C'était il y a 30 ans au moins, j'avais 13 ou 14 ans. C'était la première année que j'allais à l'école du village, en 7e année. Jusque-là, j'allais à l'école du rang 8 à La Rédemption à un kilomètre et demi de chez nous, à pied. Quand nous prenions l'autobus pour le village, nous étions appelés des grands. C'était tout un honneur d'aller à l'école au village. Il y avait dans ma classe une petite Noire, qui demeurait elle aussi dans le rang 8. Je l'avais déjà remarquée un peu, mais pas vraiment lorsqu'elle se trouvait avec les élèves de 7e année. La petite Noire faisait la gardienne à l'heure du dîner pour les élèves. J'avais le béguin pour cette Noire, les cheveux au carré, le teint foncé, c'était ma blonde, mais elle ne le savait surtout pas.

Le temps passe; j'arrête d'aller à l'école à la fin de cette année pour aider mon père sur la ferme, car il devait aller dans les chantiers pour nous faire vivre. La terre ne rapportait pas assez.

Chapitre 2

Je devais avoir 16 ans, quand un jour je reçois un Valentin, signé Candala. J'étais très surpris! Je ne m'attendais pas à ça. D'autres années passent.

QUI N'A PAS PENSÉ QU'À 18 ANS
C'ÉTAIT LA LIBERTÉ!

Un beau jour, je suis en voyage vers Montréal, je m'arrête au restaurant Martinet, un endroit où les Gaspésiens et les gens du Bas du Fleuve s'arrêtent presque tous lorsqu'ils voyagent dans cette direction. Des amis de La Rédemption voyageaient avec moi. Nous avions mangé et regagnions l'auto, prêts à repartir, lorsqu'une autre voiture se stationne près de nous. Deux filles en descendent. C'étaient ma petite Noire et Marie-Paule, sa sœur. Elles aussi montaient à Montréal. Ghislaine travaillait pour un médecin, à Ville Mont-Royal et Marie-Paule étudiait à Lachine pour devenir infirmière. Elles étaient montées avec un supposé ami de la famille qui, en fin de compte, était un peu buveur sur les bords. Elles ont eu la peur de leur vie. Le monsieur s'endormait au volant. Je l'avais d'ailleurs dépassé avec peine et misère. Il roulait d'un côté à l'autre de la route.

Ghislaine me raconte ses mésaventures. Elles sont très inquiètes pour se rendre à Montréal. Je voudrais bien les prendre avec nous, mais notre voiture pleine de valises m'en empêche. D'autant plus qu'elles aussi en ont plusieurs. Nous convenons donc de nous téléphoner. Elle me donne le numéro de son employeur. Le lendemain, je la rappelle. Elles ont eu toutes les misères du monde à se rendre. En plus, le «Monsieur en Question» les a laissées à Saint-Hubert. Elles avaient dû prendre un taxi jusqu'à Ville Mont-Royal. Toute une aventure pour des filles de campagne!

Le temps passe. Moi, je travaillais dans un garage à Montréal, dans l'ouest, près de Décarie, et Ghislaine changeait d'autobus par hasard en face du garage. Un jour où elle était en avance, elle m'a reconnu par mon marcher. Il paraît que j'ai de la personnalité dans ma démarche. Elle est venue me parler. J'étais tout fier. Je ne l'avais pas oublié. Je n'avais justement plus de blonde dans ce temps-là. Je reprends son numéro de téléphone et promets de l'appeler. Ce que je fais sans tarder.

Je travaillais six jours par semaine, de nuit, 13 heures par jour, pour joindre les deux bouts, avec une paye de 49,95 dollars. Mais je faisais des pourboires, autant que la paye régulière.

Le premier rendez-vous, c'était un dimanche. Je vivais seul dans une chambre. En arrivant de travailler, je me suis couché un peu, mais je suis «passé tout droit», me réveillant seulement vers 17 heures. Notre rendez-vous était pour 13 heures. Je la rappelle pour m'excuser et nous reprenons un autre rendez-vous pour l'autre dimanche. Encore là, je passe tout droit, mais cette fois-ci je me réveille à 14 heures. Lorsqu'elle s'aperçoit que je ne suis pas arrivé à 13 heures 30, elle se dit, s'il pense me faire poireoter un autre dimanche!... Elle prend l'autobus et se rend chez sa tante à Montréal-Nord. J'arrive à Ville Mont-Royal, la petite Noire est partie. J'étais en maudit dans mon orgueil d'homme.

Aujourd'hui, je pense qu'elle avait bien raison. Je me rends chez sa tante. Nous passons le reste de l'après-midi ensemble. Je la reconduis et c'est comme ça que les fréquentations ont commencé. Vu que je travaillais dans un garage, les fois où nous voulions parler sans être dérangés, je l'emmenais dans la cour du garage. On me connaissait et là, nous pouvions parler sans avoir peur d'être envoyés par la police. Des fois, je parlais d'auto avec des amis, etc. Ça fait que notre vie de jeunesse, comme on dit, s'est passée très souvent dans des cours de garage, aux courses automobiles, soit comme spectateurs ou participants. Je lui lève mon chapeau. Elle ne devait pas toujours aimer cela. C'est peut-être la raison pour laquelle nous rompions si souvent. D'ailleurs, dans la famille, ils nous déconseillaient de nous marier. Ils disaient que ça ne durerait pas, et voilà que ça fait 20 ans. Nous avons acheté le motorisé à l'occasion de notre vingtième anniversaire, cette année. Un autre vieux rêve qui se réalise, avoir un vrai motorisé. J'ai déjà eu un autobus scolaire que j'ai modifié en motorisé. Je vous en reparlerai sans doute plus loin ... peut-être!...

Après avoir pris un petit goûter, nous nous endormons jusqu'au matin à la porte du garage où la dépanneuse nous a laissés un peu plus tôt. L'endroit était tranquille. Nous nous sentions en sécurité avec un gardien pour nous seulement. Le lendemain vers 8 heures, ça recommence à bouger au garage. Nous descendons du motorisé, Ghislaine et moi, et nous entrons voir le gérant de service qui nous dit qu'il ne sait pas s'il aura le temps. Il nous demande d'attendre un peu.

Tout à coup, toute une armée de mécaniciens arrivent. L'un d'eux me demande quel est mon problème. Je lui dis que c'est la chaîne de réglage de l'allumage. Il me demande le kilométrage du moteur. Je réponds, 33 000 kilomètres. Il ne croit pas que ce soit la chaîne. Je fais tourner le moteur un peu. Un jeune de 25 ans, un spécialiste, arrive à l'improviste. Il me demande de démarrer. Après quelques secondes, il se prononce, c'est la chaîne. À sa demande, je conduis le motorisé. Tout le monde pousse, même Guillaume et Philippe, Ghislaine aussi. Nous entrons dans le garage. Ils sont très gentils. Nous sommes des touristes; ils le comprennent.

Le mécanicien commence à tout démonter, le capot à l'intérieur, le radiateur, la pompe à eau, la poulie. Nous portons intérêt, les enfants me demandent le nom de chaque pièce. Ils semblent être fiers de moi. Ils sont encore surpris que je connaisse tout ça. Guillaume me dit souvent, tu connais ça. Tu savais quel était le problème avant le mécanicien! Ghislaine en profite pour lire et écrire. Nous nous faisons à manger. Nous prenons des marches dehors. Un marché aux puces se trouve juste en face. La vie est belle, je me sens bien. J'apprécie le moment.

Souvent, nous nous apercevons que les épreuves nous rapprochent, si nous savons en voir le côté positif. Plus rien n'est douloureux si l'on accepte. Depuis quelques années, dans mes méditations, je me répète souvent pour me l'ancrer dans la tête, [**ici et maintenant**]. Il y a seulement ça de vrai. La joie est une chose immédiate. Avez-vous déjà remarqué, quand on fait un projet, par exemple, une sortie en fin de semaine. Nous avons du plaisir à y penser. Nous imaginons tout ce qui va se passer. Eh bien, il arrive que ça fasse une sortie plate à mort. Le plaisir, nous l'avons eu quand nous y avons pensé. Le plaisir est toujours au présent et non au futur.

Il est maintenant midi. Tout est démonté. Nous nous préparons à dîner dans le motorisé. Ils ont accepté que nous restions à l'intérieur. Après le repas, je monte sur le lit pour me détendre un peu. Au-dessus des sièges avant. J'essaie de faire un peu de méditation, mais il y a trop d'activités. Ça mange, ça parle. Mes pensées sont ailleurs. Je me retrouve à Montréal en 1970-1971. Je travaille dans l'est de la ville, rue Sherbrooke. Nous étions mariés depuis à peu près un an. Je devais travailler très fort pour joindre les deux bouts, 6 jours par semaine, 13 heures par jour. Je vais vous raconter une aventure dans ce temps-là, et qui prouve bien que le corps humain a des limites. Surtout qu'à l'époque je n'avais pas de technique, comme aujourd'hui pour me recharger, telles que la méditation, l'auto-hypnose. Je travaillais donc de nuit, comme homme de service: changement d'huile, graissage, etc. Je posais aussi des pneus et faisais de l'entretien d'auto, mais mon expérience était plus grande comme mécanicien.

Après mes 13 heures régulières, je prenais du travail de mécanique en dehors du garage, dans la rue quoi! Je me rappelle avoir voulu changer les valves sur un moteur 318, pour un ami qui était chauffeur de taxi, Aimé Valin, d'Hochelaga Taxis. C'est habituellement un travail de trois heures, mais un problème s'est posé. La tête du moteur était croche. Ça ne voulait pas fonctionner et à 18 heures, je retournais au garage jusqu'à 7 heures le lendemain. Comme de raison, le taxi ne fonctionnait pas encore.

Durant la nuit, j'essaie de le finir au garage, mais je n'avais pas le droit. À 7 heures, rien n'allait plus. Durant la deuxième journée, je trouve le trouble et avec beaucoup de difficultés, je réussis à remettre la voiture-taxi en état de fonctionner. Je n'ai toujours pas dormi depuis deux jours et à 18 heures je dois reprendre un autre 13 heures. Presque trois jours sans dormir. Ce fut une très grande leçon dans ma vie. Quant un moteur manque d'huile une fois, ce n'est plus pareil après. C'est ce qui m'était arrivé. Je n'ai plus été le même durant plusieurs mois. Moins résistant, toujours endormi. Je ne conseille cette expérience à personne.

Les hommes se remettent au travail. L'heure du dîner est passée. Tout d'un coup, j'entends un clac! Je descends, c'était le bruit d'un boulon qui venait de casser, comme de fait, cassé dans le moteur. Il faut essayer de le sortir. Comme par miracle, il sort facilement avec des pinces. Le mécanicien revient tout penaud. Il n'a pas de pièce de rechange. Il faudra attendre. Assis sur un seau près du motorisé, le mécanicien attend. Je me dis en dedans de moi-même:

— Je vais avoir une belle facture si je paie le mécanicien à ne rien faire.

Chez les dépositaires québécois, nous payons quand même les erreurs des mécaniciens. Aux États-Unis, je ne sais pas encore.

Au bout de deux heures, le fameux boulon arrive et il remonte le tout. Il y a une marque sur la poulie. Le mécanicien fait venir le jeune spécialiste. Je regarde moi aussi. Finalement, c'est bien, il peut finir. Nous faisons un essai sur place et un essai routier et le moteur fonctionne du premier coup. Nous remettons le distributeur à sa place, refermons le capot. Je passe à la caisse avec un peu d'appréhension. Ho surprise! c'est moins cher qu'au Québec et en plus nous avons passé la journée au garage. On nous charge seulement 3 heures 30 pour le temps. En tout, la facture est de 221 dollars américains.

Tous contents, nous repartons de Lumberton, toujours vers la Floride. Nous pensions que l'hiver était fini pour deux mois, mais en arrivant près de Washington, sur la route U.S. 95, surprise! de la neige, du verglas. Nous avons l'impression de rouler en direction du Québec. Il est assez tard, peut-être 22 heures 30. Il faut traverser cette région, en espérant que ce sera mieux ensuite. Près de 100 kilomètres plus loin, plus de neige. La chaussée est sèche. Nous décidons d'arrêter dans une halte routière pour dormir. Ça prend encore du chauffage. Nous sommes à deux jours d'Orlando.

Le lendemain, nous roulons longtemps durant la journée. Nous arrêtons pour dîner. Nous commençons à enlever quelques vêtememts d'hiver et les bottes et nous pensons à les entreposer dans le fond du coffre. Le vendredi soir, enfin Orlando! Il fait très beau, le monde se promène en maillot de bain. Il paraît que c'est une vague de chaleur: environ 28 à 30 degrés Celsius.

Mon Dieu qu'on est bien lorsqu'il fait chaud. Nous louons un espace de campement dans un endroit qui se nomme Kao et qui est très connu et surtout très cher, 33 dollars américains. Ah! c'est vrai, il y une piscine chauffée, s'il-vous-plaît, mais nous n'aurons pas beaucoup de temps pour en profiter, nous allons à Disney World. Les enfants sont fous de joie. Il n'y a pas beaucoup de monde sur le terrain de camping. Il est occupé à 25 p. 100 à peu près.

Nous stationnons notre motorisé près de celui d'un Québécois de Montréal. Il est venu ici pour 15 jours. Il ne va pas à Disney World. Il l'a vu plusieurs fois. Ils ont deux beaux enfants. L'un d'eux a environ quatre ou cinq ans. Il parle beaucoup de son père, comme d'un héros. Il sait tout faire. C'est très mignon de l'entendre. Nous autres, nous nous installons et demandons des renseignements. Comment aller à Disney? Peut-être en autobus à deux étages comme les Anglais. C'est un service offert par le camping. Les enfants demandent pour aller voir les animaux. Il y a un petit zoo tout près. Pauvres bêtes, elles ne sont pas bien grasses. Il y a un chevreuil. Ça me rappelle des souvenirs, impression de mon enfance.

Comme je vous l'ai déjà raconté, j'ai été élevé sur une ferme à La Rédemption, dans la Vallée, une paroisse de 800 habitants environ. Mon père était bûcheron. Il éprouvait de la misère à joindre les deux bouts. Il faisait régulièrement la chasse pour pouvoir nous nourrir. C'était le bon temps! Des chevreuils, il y en avait partout quand j'étais petit. Je me souviens que lorsque mon père en tuait un, il fallait mettre des draps dans les fenêtres pour que les voisins ne voient pas la lumière, et durant la nuit, nous dépecions l'animal. Après avoir mis la viande dans des pots, nous les déposions dans une grande chaudière à eau (boiler) sur le poêle à bois pour les stériliser. Nous n'avions pas de réfrigérateur, alors il n'y avait seulement que le lendemain où nous pouvions manger du bon steak frais.

Un peu plus tard, vers l'âge de 10 ans, quand mon père «frappait» comme il disait, il fallait que je me lève la nuit pour aller l'aider. Je devais l'éclairer. Je n'étais pas très brave, en pleine nuit, dans le bois. Pour mon père c'était tellement naturel, il l'avait toujours fait. Quand il partait pour la chasse, souvent, il nous montrait ses cartouches. Il en apportait toujours cinq, des SSG et son fusil préféré était un 12. Il l'avait acheté à l'âge de 17 ans, je crois. Il l'avait payé en vendant des peaux de rats musqués. D'ailleurs ce fusil, c'est la seule chose que je lui demande en héritage. Ce fut un gagne-pain pour la famille Gagnon.

Un soir, en revenant à la maison, il nous dit qu'il a tué trois chevreuils, une mère et deux petits. Cela aurait pu être possible, mais il nous montre ses cartouches. Il lui en reste encore quatre. Nous ne le croyons pas, mais jamais il ne nous a menti.

Il me demande de m'habiller et de venir l'aider. Il faisait très noir ce soir-là. Nous prenions le chemin à pied vers la talle de bois vert. C'est ainsi que nous nommions l'endroit: un terrain de petits bouleaux, d'érables et de trembles. Dans un fond, il avait poussé de l'épinette et du sapin sur une surface d'environ 500 verges carrées. Mon père avait fait une «salière». Pour ceux qui ne savent pas, une salière c'est un endroit, près d'une souche pourrie de préférence, où l'on dépose du sel en quantité. Il faut choisir cet emplacement tout près d'où les chevreuils vont boire. C'est interdit par la loi maintenant. Pour faire l'échafaud, nous choisissions trois arbres pas très éloignés les uns des autres, disposés le plus possible en triangle. Nous clouions des planches pour faire une échelle et dans le haut des arbres, nous installions un siège, en laissant les branches pour ne pas être vus par les bêtes. Le chevreuil a des habitudes. Dans le jour, il dort. À la brunante, le soir et le matin, il sort pour manger. C'est pour ça que lorsqu'il tuait un chevreuil, c'était toujours entre chien et loup.

Arrivés sur place, il m'a expliqué comment c'est arrivé. Oui! il a tué trois chevreuils d'un seul coup de fusil, du haut de l'échafaud. La mère chevreuil avait la tête baissée pour lécher le sel et les deux petits se trouvaient dans la même

M. Cagnon 89

position. Mon père avait attendu qu'ils se placent et quand ce fut le bon moment, il a lâché le coup de fusil. Dans une cartouche de 12 SSG il y a 9 ou 10 plombs de la grosseur d'une balle de 22. Vous comprenez maintenant qu'il est possible qu'il ait réussi cet exploit.

Il a fallu presque toute la nuit seulement pour les sortir du bois. Nous les avons accrochés dans la cave pour les dépecer seulement la nuit suivante. Nous avons eu de la viande pour longtemps. Mon père n'était pas un braconnier. Dans ce temps-là, c'était une question de survie. Rien ne se perdait, nous mangions tout, le cœur, le foie, etc., et quand il n'y en avait plus, il retournait chasser. L'hiver, c'était la perdrix et le lièvre. Environ 200 lièvres par hiver. Il en vendait un peu au village, pour nous faire de l'argent de poche, malgré que ce n'était pas un mot populaire dans ces années-là.

À l'âge de 12 ou 13 ans, je demandais souvent à mon père pour tirer avec le fameux 12. Il disait:

— «Je vais te faire essayer un jour.

Il reculait toujours la date. Un jour je lui dis:

— C'est aujourd'hui papa que je vais essayer le 12.

Il dit:

— T'as pas peur de tomber sur le dos.

Je lui dis:

— Non!

Mais j'avais des doutes. Il dit:

— Viens, nous allons en arrière de la grange.»

Je pars en courant, monte dans ma chambre, mets tous les chandails que j'avais à ma disposition, prends mon plus gros manteau de chasse. J'étais gonflé à bloc. Je m'installe: un pied devant, l'autre derrière. Mon père me donne des conseils à travers ça. Je mire; j'avais vraiment peur de lâcher le coup. Il faut bien que je le fasse. Savoir chasser pour nous autres, c'est comme savoir aller au dépanneur pour les petits gars de la ville. Bang! et le coup est parti. Sûrement que j'avais les yeux fermés. J'ai oublié de vous dire que mon père chargeait lui-même ses cartouches et il y mettait un peu plus de poudre au cas où. J'ai reculé au moins de 60 centimètres mais je ne suis pas tombé. J'étais très fier. Je devenais un homme. Il m'a demandé si j'avais mal à l'épaule, je lui dis non, mais ça faisait mal. Le lendemain surtout.

Un jour, un an ou deux après, il est arrivé avec un fusil de calibre 28. Ça repousse beaucoup moins et c'est assez pour la petite chasse. Ça brise moins la viande, comme il disait. Vers l'âge de 16 ans, j'avais le droit de prendre le fusil de calibre 12 pour aller à la grosse chasse.

Un peu plus tard, mon petit voisin Mario Perreault et moi avons décidé d'aller faire un tour dans la forêt vers la talle de bois vert. Il venait de neiger, la chasse serait bonne aujourd'hui. Nous verrons les pistes et nous pourrons les suivre. Tout à coup, nous croisons une belle piste de chevreuil toute fraîche. Je dis à Mario, «c'est un beau «buck» de trois ou quatre ans». Mon père m'avait montré à les reconnaître. Quand c'est une femelle, la piste est plus allongée et pointue. Les empreintes du mâle sont plus rondes et le bout de ses ergots carrés. Nous suivons sa trace depuis une heure environ. Nous remarquons une piste de lièvre. Mario dit:

— «Nous allons suivre ce lièvre.

Non.

— Ce matin, nous chassons le chevreuil. Ça serait le fun d'en tuer un!»

La piste entre maintenant dans un fond très sale, plein de jeunes repousses de noisetiers. Mon père m'avait enseigné que souvent c'était un endroit idéal pour les animaux pour se cacher. Je dis à mon ami: «Nous allons passer sur le côteau et s'il se cache en bas, nous avons des chances de le voir.» Comme de fait, il s'y était caché. Souvent les chevreuils se cachent la tête et ils ont le corps à découvert. C'est ce qui est arrivé.

J'épaule. Le cœur voulait m'éclater. J'étais très nerveux. Je lâche le coup, parce qu'il ne faut pas attendre avec un chevreuil. C'est tellement rapide! Ça part à toute vitesse cette bête-là et quelques secondes plus tard, on ne voit plus rien, on entend plus rien. Nous partons à la course pour aller voir. Il était raide mort. Nous riions! Nous criions! Nous étions fous comme des balais. Mais un petit problème! ... Pas de couteau, nous ne pouvions pas le saigner. Nous décidons de le cacher un peu et d'aller chercher du renfort.

Mon père ne se trouvant pas à la maison, nous sommes allés chercher le père de Mario, Antoine Perreault. Je suis venu avec le tracteur jusqu'au champ le plus proche. Après l'avoir vidé et traîné, ce qui avait pris une partie de la journée, nous avons installé notre trophée sur le devant du tracteur et nous nous sommes promenés dans le rang 8. Quelqu'un de la famille est allé chercher un permis que nous avons accroché à l'oreille de notre belle bête. C'était la tradition, nous achetions un permis seulement si nous tuions, pas avant, l'argent était trop rare. L'hiver je «tendais» des collets aux lièvres et avec un voisin, nous jouions nos lièvres aux cartes. Un jour, Zénon en a perdu plus de 50 et le plus fantastique c'est qu'ils n'étaient pas encore chassés. J'ai dû gager quitte ou double, jusqu'à ce qu'il gagne. Ma carrière de chasseur a pris fin vers l'âge de 20 ans.

Je suis monté en ville pour travailler. Vers l'âge de 30 ans, j'ai repris un peu la chasse et j'ai tué deux autres chevreuils. Depuis, j'ai tout remisé. Je ne suis plus capable de faire du mal à ces petites bêtes. C'est peut-être à cause des souvenirs de ma plus tendre enfance qui remontent à la surface. Nous avions des lapins. À l'automne, quand il fallait les tuer pour les manger, ils se cachaient en dessous du perron. Mon père leur faisait peur et moi j'avais une espèce de gaffe que les draveurs utilisaient pour déplacer le bois, et il fallait que je les pique au passage pour les arrêter. J'étais le seul garçon de la famille et ma sœur Paule, la plus vieille, pleurait dans la fenêtre. Ma mère disait à mon père que ça n'avait pas de bon sens. Moi, dans ce temps-là, j'en riais.

Je me souviens d'un autre mauvais coup. Souvent le dimanche après-midi à la campagne, l'un des sports pour les jeunesses c'était de se pratiquer à tirer de la carabine. Nous étions une bonne dizaine de jeunes. Ma mère avait dit dans la semaine que nous avions trop de chats. Ils nous en arrivaient de partout. Nous tirions chacun à notre tour. Moi, au lieu de tirer sur la boîte de conserve sur le poteau, je vise le chat qui était tout près. Je le rate, mais je le blesse un peu. Il entre dans la cave qui avait environ 3 ou 4 pieds de haut. Je prends le fusil calibre 12 de mon père. Je me dis cette fois, je ne te manquerai pas. Je ferme la porte sur moi pour qu'il ne sorte pas. Je l'aperçois dans l'ombre. Pendant ce temps, ma grande sœur dit à maman:

— J'espère qu'il ne tirera pas dans la cave.

Elle n'a pas fini de le dire, qu'elle entend un de ces «**boom**». La trappe de la cave a levé, par la force de l'air. J'en fus quitte pour être presque sourd le reste de la journée. J'ai encore des fusils, mon père aussi. Ils sont maintenant tous muets.

Chapitre 3

TU DOIS TE RÉCONCILIER AVEC TOI-MÊME POUR ESPÉRER T'OFFRIR LE BONHEUR

Eh bien!... je crois qu'après une heure de rêverie, je vais vous ramener en voyage. Ghislaine me dit qu'il faut souper. En même temps que j'irai au dépanneur, je jetterai un coup d'œil pour voir où sont les gars. Ah! ils sont près de la piscine. Il veulent se baigner, et surtout que j'aille avec eux. Je ne peux pas dire que j'aime me baigner! Je leur dis d'y aller et que peut-être j'irai les rejoindre. Je n'ai pas trouvé le temps ...même en vacances, nous sommes pressés.

Nous nous couchons de bonne heure. Demain, Disney. Nous prenons l'autocar à 8 heures 30. Ça prend 20 minutes environ pour s'y rendre. Ce n'est pas un cadeau que de voyager avec cette antiquité. Elle pue le diesel et bien d'autres choses d'antique!... Nous arrivons au guichet. Ce n'est pas donné Disney. Trois jours pour quatre personnes, 321 dollars américains. Guillaume avait ramassé ses sous et Philippe en donne un peu de son argent de poche. Ils ont accumulé ces économies l'été passé à travailler au Centre d'Art, à laver la vaisselle et à servir les clients. Pour moi, c'est important qu'ils fassent leur effort. Même si j'étais million-naire, il faudrait qu'ils participent. Je leur dis souvent:

«J'aimerais bien vous laisser ce que mon père m'a laissé: la débrouillardise.» Ce sera votre héritage.

Le guichet passé, nous prenons un petit train et en descendons un peu plus loin. Les enfants sont émerveillés. Il y a peu de monde. Les visites se font rapidement. Guillaume me semble content. Philippe ne réagit pas beaucoup. Je lui demande s'il aime ça. Il dit oui. J'insiste un peu. Il se rend compte que je suis un peu déçu de son attitude. Pour ne pas me faire de peine, je crois, après ça il dit qu'il est très content. Je m'aperçois de cela et je le laisse tranquille.

Pendant deux jours, nous visitons Disney World et Kingdon. Nous prenons une journée de repos avant la dernière épreuve. Après trois jours, tout le monde est tanné de voir des cinémas, des trains, des foules et de l'aluminium. C'est fantastique! mais vive le vrai monde et le moment présent. Nous avons hâte de voir la mer. Nous décidons que s'il fait beau, nous nous dirigerons vers Tampa, sinon nous irons vers la Nouvelle-Orléans. De la pluie s'annonce et nous partons en direction de la Nouvelle-Orléans sur la U.S. 10 après Houston et ensuite vers la frontière à Laredo.

Nous quittons la U.S. 10 pour longer le Golfe du Mexique près de la Nouvelle-Orléans. Nous arrêtons un peu sur le bord de la mer. C'est magnifique! Le sable est blond. Nous sommes hors-saison, il n'y a pas de monde et il ne fait pas plus de 17 degrés. Il faut bien continuer si nous voulons de la chaleur.

C'est très difficile en route de faire notre méditation. Il se passe toujours quelque chose avec les enfants, mais nous ne sommes pas obligés de faire de la méditation à tout prix.

L'important, c'est d'être bien et nous le sommes tous à ce qu'il me semble. Nous couchons près de Bâton Rouge. Levés de bonne heure ce matin, nous roulons une heure avant de déjeuner. Encore un gros déjeuner! Guillaume bat des records de mangeur de rôties. Moi, je crois que j'ai déjà pris une couple de livres. Nous sommes toujours assis, pas beaucoup d'exercices. Nous ne parlons que du paysage mais il y a des grands moments de silence. Nous sommes ici et maintenant. Etant donné la monotonie des autoroutes, ça nous permet d'être aussi ailleurs.

J'AI REGARDÉ PLUS LOIN QUE LE LARGE DU FLEUVE, J'AI REGARDÉ PLUS LOIN QUE LE DERNIER NUAGE, J'AI DÉCOUVERT L'IMMENSITÉ DE MON ÊTRE

Je suis perdu dans mes pensées, ce qui m'amène à me rappeler un vieux monsieur de Montréal qui, à chaque année depuis l'ouverture du Centre d'Art en 1984, venait me voir. La première année, il m'a acheté un tout petit tableau, un coucher de soleil, presque abstrait, très coloré.

À sa deuxième visite, il a pris un repas sur la terrasse, près de la mer. Je lui ai demandé si je pouvais m'asseoir avec lui pour manger. Ce monsieur m'impressionnait... Il avait 76 ans et une conception de la vie que tout le monde recherche. Durant cette année 1985, où je vivais vraiment un moment de remise en question totale, seulement le fait d'être en sa présence, je me sentais transporté. Il semblait tellement heureux! Il avait pratiqué au plus haut point, le 24 heures à la fois. Je me délectais de chacune de ses paroles. Il m'expliquait comment pour lui, les bruits dans la nature c'était très important. Il m'a fait entendre le bruit de la mer. Il me semble que je ne l'avais jamais entendu, ou pris le temps de l'entendre. Une heure avec lui m'a rempli. Je n'avais jamais ressenti cela auparavant.

La troisième année, j'avais beaucoup de travail. Nous avons parlé un peu. Il a acheté un autre tableau, cette fois de personnages. C'était une grande dame qui entrait chez elle au petit matin. Je ne sais pas si c'est symbolique, mais je ne l'ai jamais revu. Avant de partir, il m'a laissé deux poèmes signés Samsara. Je vous en fais profiter. S'il était là, il serait sûrement d'accord.

L'ÉVEIL DE SOI

Lentement, tu apprends la différence subtile
qui existe entre marcher main dans la main
et enchaîner une âme.

Lentement, tu apprends qu'aimer n'est pas
posséder et que la vie à deux n'est pas
toujours un contrat à vie.

Lentement, tu te surprends à comprendre qu'un
baiser n'est pas un lien et qu'un cadeau n'est
pas une promesse.

Alors, lentement, avec peine tu passes l'éponge
et acceptes la défaite, la tête haute, et les
yeux grands ouverts, avec la grâce d'une femme
mûre, et non plus avec le désespoir d'un enfant.

Lentement, chaque jour, tu apprends à suivre
ton propre sentier, sachant enfin que demain
est trop incertain pour y planifier des
bonheurs éternels.

Lentement, tu apprends que trop de soleil brûle
et réduit en cendres tes effusions les plus
passionnées.

Alors, lentement, tu planifies et enjolives
ton propre bonheur.

Tu t'appliques à construire ton propre jardin
sans attendre qu'un autre amant te couvre de
fleurs.

Lentement, tu apprends que tu peux réellement
souffrir sans désespérer.

Tu apprends que tu es réellement forte;
tu apprends que tu as des valeurs.
Tu apprends et tu apprends, avec chaque bon jour,
tu apprends ...

SAMSARA

83.01.14

LE PETIT COIN

Depuis toujours, lorsque autour de moi, les choses se détériorent, je ferme les yeux et je me retire dans mon petit coin, sous prétexte de méditer, penser, philosopher, mais la vérité est que j'ai peur; peur de vivre, peur de demain, peur de faire face à la réalité. Alors par la pensée, je reviens sur mon passé, je revois les erreurs commises, les amours perdues, les rêves brisés et souvent je tombe dans des dépressions profondes et sans issue.

Je pleure sur mon sort et déclare que cela est mon cheminement, que je n'y peux rien et qu'il me faut accepter cette vie misérable et sans but.

J'ai appris depuis que cette façon de voir les choses est maladive et que si je veux changer cet état d'être, je dois apprendre à regarder et écouter d'une façon nouvelle, avec plus d'attention. Je dois me motiver, me programmer à voir les choses, les événements tels qu'ils sont, non pas fragmentés mais entiers; non pas des sortes d'images déjà formées dans mon intellect, mais des choses et des événements réels; voir un arbre comme un arbre, un être comme un être, un paysage comme un paysage, unique, entier, il me faut regarder la substance, la forme, la vie qui vit dans chaque chose; voir le tout sans comparer, le voir au présent, tel quel, sans fragmenter, et alors, cette façon de voir devient la clé d'un renouveau, d'une renaissance, créant un état d'être plus positif, plus spontané, plus vrai, plus beau. Regarder ainsi, c'est éliminer l'espace qui existe entre l'objet regardé et celui qui regarde. Vu de cette façon, l'arbre devient réellement un arbre, un visage devient éblouissant et beau; mais pour voir ainsi, il faut aimer, aimer dans le sens de comprendre, aimer dans le sens de devenir un avec l'objet regardé. On peut parler, écrire, peindre, mais s'il n'y a pas d'amour, il ne peut y avoir de beauté. Être incapable d'aimer c'est être vide; c'est vivre dans un état d'insensibilité et être insensible, c'est déjà mourir un peu.

Le petit coin, c'est nous-mêmes. C'est notre petit cerveau fragmenté. C'est être insensible au tout. Ce petit coin, nous le voulons «sécure», paisible, calme et sans souffrance, parce que la réalité est que nous cherchons le plaisir, oubliant que chaque plaisir cache la souffrance dans son centre.

Tout mode de vie basé sur le plaisir, la jouissance, l'attachement, conduit à la souffrance, l'échec, l'ennui, le vide intérieur et le dégoût de soi.

Savoir regarder les fleurs qui poussent, savoir écouter les oiseaux qui chantent, c'est faire un tout avec les parties. Alors la fragmentation disparaît, éliminant tout conflit. Regarder, écouter ainsi est alors une discipline naturelle et tout devient beauté.

Voir ainsi, c'est comprendre, c'est aimer, et lorsqu'on aime, on possède tout; plus nous sera nécessaire de chercher maintenant, car nous aurons trouvé l'éveil, nous aurons découvert l'art d'aimer.

SAMSARA

«LENTEMENT, TU APPRENDS QU'AIMER N'EST PAS POSSÉDER.» J'ai tellement trouvé ça beau, que j'en ai fait une carte que les visiteurs au Centre d'Art peuvent lire en permanence. Ces paroles m'ont aidé énormément face à ma relation avec Ghislaine. Je sais maintenant que l'amour peut être gratuit et doit l'être sans quoi l'un des deux a de la peine. Moi, à 44 ans, je n'ai plus envie de posséder et encore moins d'être possédé. Notre relation est libre. Nous pouvons partir en tout temps et c'est pour cela que nous restons ensemble. Ça fera bientôt 21 ans le 22 juin 1989.

Ce soir, nous couchons à Saint-Augustin. Il ne restera que quatre heures de route avant la frontière du Mexique. Il faut la traverser de jour, avant le dîner de préférence, pour pouvoir rouler avant la noirceur. Près de la frontière, à l'intérieur du Mexique, il y a un désert d'environ 250 kilomètres. Nous prévoyons aller coucher à Monterrey.

Nous arrivons donc à Laredo américain. Il faut prendre des assurances, car au Mexique, si nous n'avons pas d'assurances de chez eux, s'il y a accident, c'est automatiquement la prison. Je commence à pratiquer mon espagnol. Au bureau d'assurances, nous devons parler anglais ou espagnol pour être compris. Ah oui! j'ai pris un cours à l'université avant de partir. Une quinzaine de soirs. C'est une base pour se débrouiller, mais j'espère que mon séjour au Mexique me permettra de pratiquer souvent. C'est une langue extraordinaire. Le voyage est plus intéressant si nous pouvons communiquer.

Après les assurances, c'est le bureau de change pour se procurer des pesos, 1 750 pour un dollar canadien et 2 380 pour un dollar américain. Nous nous sentons très riches. Pour ma part, j'ai 250 000 pesos dans mes poches. Les enfants en ont eux aussi. C'est très excitant, surtout pour eux. Ghislaine et moi, nous sommes déjà venus deux fois au Mexique il y a de cela 17 ans, je crois. Nous sommes restés huit jours à Acapulco et l'année passée, 15 jours à Puerto Vallarta. C'est le dernier voyage qui nous a donné le vrai visage du Mexique.

Nous arrivons enfin à la fameuse frontière. Il y a un grand pont à plusieurs entrées. Avant le pont, une petite annonce avec l'indication «turissimo» avec une flèche vers une ruelle, sens unique où le motorisé passait avec peine et misère. Ghislaine me dit:

— Ça n'a pas d'allure, pour une frontière entre deux pays!...

J'étais bien d'accord avec elle. Nous décidons de prendre le pont, ce qui nous semblait plus logique. Arrivés de l'autre côté, nous nous faisons regarder drôlement. On nous demande en espagnol ce que nous faisons là. J'essaie de leur dire que nous voulons visiter le pays. Ils se regardent et nous font entrer dans une cour clôturée de barbelé, avec une grande porte de fer. Ils nous font signe d'aller à l'autre bout, que nous nous sommes trompés de pont.

Nous roulons à peu près 150 mètres sur une route de terre, pleine de trous. Il y a des poubelles partout. Il y a aussi des enfants et des piétons. Au bout, il y a une autre barrière, à moitié ouverte. En la traversant, les miroirs du motorisé y touchent presque. Nous débouchons en plein milieu d'un carrrefour où les autos circulent dans tous les sens. Aucune lumière et en apparence, aucun policier. Nous apercevons sur le bord du trottoir un monsieur en espèce d'uniforme. Il nous informe que les douanes sont là-bas dans le gros hangar. Ça ressemblait au hangar en décrépitude du Vieux-Port de Montréal. Tout rouillé, plein de trous.

Nous avons laissé le motorisé, non sans inquiétudes et nous nous suivions tous de très près. C'est la consigne. Je demande aux enfants de bien barrer les portes et, préoccupé, j'oublie de porter attention à quel endroit nous entrons. Il me font signe d'aller au fond de la pièce. Ils sont très heureux de nous voir... Vous comprendrez pourquoi plus tard. Il nous avait été conseillé de prendre des visas du pays dans une agence de voyage avant de partir du Québec et c'est ce que nous avions fait, car il paraît qu'ils les vendent jusqu'à 10 dollars américains chacun, pour un petit bout de papier. Le douanier est très surpris de constater que nos visas sont remplis. Je lui dis en espagnol qu'il n'a pas beaucoup de travail avec nous. Lui, il me répond qu'il veut quand même de l'argent pour le café. Il me le dit en anglais. Je fais semblant de ne pas comprendre. Un ami m'avait prévenu de ce qui se passerait à la frontière. Il me le répète en espagnol de deux façons. Je me décide et je lui donne 4 dollars américains. Je me rends compte que c'était trop, parce qu'il ne sera pas le seul à vouloir de l'argent.

Un autre douanier nous appelle. Il fait asseoir Ghislaine et les garçons. Il remplit les papiers pour le motorisé. Il est un peu moins gentil celui-là et ce n'est que vers la fin qu'il commence à me sourire... et il me demande de l'argent pour son café. Je baisse le prix. Deux dollars américains. Nous sortons du hangar en pensant que c'est bien fini, mais hélas! Un autre gardien tout fier d'avoir attrapé un poisson nous demande les papiers. Un autre arrive, lui enlève les papiers. Il doit avoir plus d'ancienneté et le premier s'en va tout penaud, sans pesos. Celui-là, son travail c'est de coller des étiquettes de touriste et de visiter le motorisé. Il ne fouille pas et il ressort. Je me dis en moi-même: «Il ne me demande pas d'argent, cela en fait un de moins.» Non, il fait le tour du motorisé et vient me parler, me donne quelques conseils et me demande de l'argent lui aussi. Ghislaine dit:

— Ça doit être fini là!

Nous sortons de la cour. Un homme mal habillé, avec une barbe de cinq jours, nous fait stationner à côté du chemin. Il nous demande si nous avons assez d'argent et il nous indique où se trouve le bureau de change, et pour finir, il n'oublie pas de parler du café. Je lui donne un dollar. C'est tout ce qui me restait de petite monnaie. Enfin! nous nous en allons en espérant que ce ne sera pas comme ça pour tout le Mexique.

Nous prenons une rue où la circulation se fait dans les deux sens, pleine de trous, sale, avec des déchets partout. Tout à coup la circulation s'arrête. Avec tout ce qui nous est arrivé, nous nous sentons un peu inquiets. Toutes les autos passent par-dessus l'accotement du milieu et s'en vont en sens inverse du «boulevard» si l'on peut appeler ça ainsi. Je dis à Ghislaine:

— Je ne passe pas, j'ai pas envie d'avoir une contravention.

À voir leur comportement, je n'ai surtout pas confiance aux policiers. Les conducteurs des autos qui se trouvent derrière klaxonnent. Là, c'est moi qui bloque la circulation. Je me décide de passer et de faire comme les Mexicains. Au bout d'une centaine de mètres, tout redevient normal. Nous retournons sur le bon côté de la route qui est tout de même pas si pire. Je me dis que si ça reste comme ça, nous ne nous plaindrons pas.

Nous avons roulé une vingtaine de kilomètres. J'avais le cœur gros et une envie irrésistible de retourner à la frontière. C'était comme si nous étions dans un film d'il y a 50 ans. Je pensais que j'étais tout seul à vouloir rentrer chez nous. Si quelqu'un de la famille avait osé en parler, nous serions sûrement revenus sur nos pas.

Subitement se dresse devant nous sur la route un barrage. D'autres douaniers avec des mitraillettes, des barricades faites de poches de sable, comme dans les films de guerre. Les officiers se regardent, nous regardent, se parlent très vite en espagnol. Ils font un signe et nous laissent partir. Tout se bouscule dans ma tête. S'il fallait qu'un soldat se mette à tirer. Pourquoi prendre autant de risques pour venir voir du sable et des poubelles partout? Nous continuons quand même, mais avec au fond du cœur une peur bleue de ne pas revenir chez nous vivants; comme Philippe nous l'a avoué plus tard.

Vers 16 heures, nous arrivons à Monterrey sans incident majeur. Sur la route, nous n'osons pas arrêter dans les petits villages. Nous avons tout simplement peur. Près de l'aéroport de Monterrey, il y a un petit bureau de tourisme. L'endroit ayant l'air sûr, nous entrons. L'employé se montre très serviable. Il nous donne une carte du pays. Je lui parle en espagnol. Il nous indique un motel qui dispose de quelques places pour motorisés. Nous nous y rendons aussitôt et payons 25 000 pesos pour une place de stationnement sur ce terrain où se trouve seulement une autre roulotte d'un résident des Territoires du Nord-Ouest, et qui n'était pas là d'ailleurs. Après avoir inspecté les installations sanitaires et de l'eau, nous visitons les environs et les douches pour constater qu'il n'y a pas d'eau chaude. La température n'est pas très élevée, peut-être 16 ou 17 degrés et si nous nous lavons dans ces conditions, nous attrapperons sûrement la grippe.

J'avertis les enfants de rester près du motorisé, sur le terrain qui est entouré d'une grosse clôture avec de la broche barbelée sur le haut. C'est très rassurant de voir ça surtout après les derniers événements. Ça nous redonne un peu de sécurité. En arrière du camping, il y a une petite route de terre. Deux touristes font du jogging. Je ne les trouve pas très prudents. Ils peuvent se faire attaquer.

Nous soupons et nous ne sortons pas durant toute la soirée. Nous dormons seulement d'un œil et à chaque petit bruit, nous sursautons. C'est ça les vacances au Mexique! Nous nous promettons de nous lever de très bonne heure le lendemain, puisqu'ici nous ne devons pas conduire le soir, pour aucune considération. C'est une question de vie ou de mort. Nous partons donc très tôt. Nous roulerons le plus possible, même si dans ce coin de pays nous devons compter deux à trois fois plus de temps qu'aux États-Unis pour parcourir la même distance. Les routes sont très étroites. Dans les déserts, ça va toujours, c'est droit. Nous avons compté 25 kilomètres de route droite. Au bout de ce trajet, nous traversons une petite côte et c'est reparti pour un autre 20 kilomètres! Pas de maisons; un Mexicain de temps en temps qui se promène à côté du chemin avec son grand couteau dont il se sert dans la plantation ou dans la brousse. Nous n'osons pas descendre du motorisé, même pour prendre des photos. Il me semble que tout le monde va s'en prendre à nous: tous des méchants! Il est 16 heures et nous passons dans un petit village. Pas de terrain de camping, nous regardons sur la carte; il y a un autre village à pas plus de 60 kilomètres. Dans une heure nous y serons.

Erreur! Au bout de quelques kilomètres, c'est la montagne, et en montagne, de nombreux précipices, pas de garde-fous; des croix se dressent un peu partout où il y a eu des accidents. C'est la coutume au Mexique; il y a même des bougies qui brûlent à certains endroits sur de petits autels fleuris.

Nous ne roulons qu'à 20 kilomètres/heure. Les gros camions qui n'en finissent plus de monter ces grosses montagnes qui, avec le temps, ont été recouvertes de plusieurs couches d'asphalte, ce qui rend la chaussée beaucoup plus haute que la bordure de la route. À certains endroits, près de 60 centimètres de dénivellation. S'il fallait que la roue du motorisé y tombe, nous pourrions basculer dans le vide. C'est brumeux en bas, tellement c'est profond. J'avertis les enfants de ne pas me déranger. C'est très dangereux! Il ne faut pas être dans la lune quand on roule sur de pareilles routes. Nous sommes en pleine montagne et les autres conducteurs nous dépassent, même quand ils n'ont pas de visibilité pour le faire. Ils passent si près qu'ils nous accrochent presque, mais cela semble très normal pour eux. Ils sont habitués à conduire dans ces conditions. Nous rencontrons des vaches, des ânes et des chiens. Il faut faire attention. Je suis épuisé. Je ne veux plus continuer.

Enfin, nous arrivons dans un village. Je dis à Ghislaine:

— Moi, j'aime mieux mourir attaqué par des bandits, arrêté à côté du chemin que de plonger dans le vide.

Au moins, ici, s'il arrive quelque chose, nous pourrons toujours nous défendre. Nous nous décidons de faire un arrêt dans la seule épicerie, je crois, du village. C'est plein de monde qui nous regarde. Nous ne sommes pas «gros». Il faut les comprendre, ils n'ont pas vu de motorisés très souvent.

Pour eux, nous sommes des riches et ça leur fait une activité de nous voir. Nous nous trouvons un endroit pour passer la nuit, près d'une infirmerie, pas très loin d'une petite église. Nous fermons tout et je défends aux enfants de sortir. Un lourd camion s'arrête près de nous. Nous nous imaginons des dangers mais il veut simplement vérifier son huile, je pense. Il repart plus tard, sans nous déranger. On entend de la musique. Il doit y avoir une fête dans le village, mais pas pour nous. Nous sommes encore trop peureux. Nous venons à bout de dormir non sans peine. C'est la première fois que nous dormons sur le bord du chemin, ce qui nous avait été fortement déconseillé par d'autres voyageurs.

Le lendemain, nous repartons de très bonne heure. Déjà le fait qu'il ne se soit rien passé d'anormal nous donne de l'assurance. Nous nous arrêtons de plus en plus souvent et nous commençons à prendre contact avec les gens; ils ne sont pas si pires que ça. Il doit y avoir du bon monde ici aussi. Des bandits, il y en a partout, il faut essayer de ne pas se mettre sur leur chemin.

Nous nous rendrons à Puerto Vallarta aujourd'hui. Nous connaissons ce coin touristique, donc moins dangereux, où nous nous sentirons plus en sécurité. Nous pensions voir beaucoup plus de campeurs. Ça ne doit pas être la saison, ou il y a peu de braves qui s'aventurent par ici pour camper.

Nous passons Guadalajara, un dimanche midi. Nous ne voulions pas y aller mais nous nous trompons de route, sans regret finalement, puisque c'est un endroit agréable et le dimanche il n'y a pas de circulation comme à Montréal. Nous retrouvons le bon chemin avec peine, les budgets consacrés à la signalisation et aux routes sont ici très peu importants. Il faut faire le plein d'essence. Je demande aux enfants de rester «proches». Je n'ai pas envie d'en perdre un. Il y a plusieurs enfants qui nous offrent différentes choses à acheter: rafraîchissements, pierres lunaires, etc. Deux autres veulent laver les vitres. Il y en a partout et nous nous sentons vraiment envahis. J'accepte finalement de faire laver les vitres et je leur donne 500 pesos (25 cents environ). Un petit Mexicain fait un cadeau à Guillaume, un morceau de cristal. Guillaume lui donne 100 pesos en échange, tout ça par les vitres du motorisé.

Nous repartons donc. Encore 300 kilomètres à rouler sur une route montagneuse, jalonnée de précipices. La circulation est assez dense et il y a des camions partout, même le dimanche, mais nous sommes bien malgré tout. Il fait chaud et nous nous sentons en vacances, nous décompressons un peu. Ils ne sont pas si dangereux après tout et nous prenons des photos magnifiques des vallées à perte de vue.

Au loin, à travers les montagnes, ils ont ensemencé de maïs, la céréale nationale, chaque petit coin cultivable. On en fait des espèces de crêpes, après avoir moulu les grains. Nous n'aurons pas le temps de nous rendre à Puerto aujourd'hui. Nous nous arrêterons dans la vallée des banderas, une variété de palmiers en forme de drapeau. Il nous faut voir la mer ce soir. C'est extraordinaire les gens qui se baignent. Nous rencontrons un couple à la retraite, qui venait près de la Pointe-à-Mita passer ses hivers. Ils nous avaient vanté ce petit coin qui était un peu moins touristique et moins cher que Puerto Vallarta.

Après quelques informations, nous prenons un beau boulevard. Il y a quelques terrains de camping, petits mais accueillants. À 8 dollars par jour, nous nous décidons très vite. Nous nous installons et nous nous regardons tous. Ces regards en disent long. Nous étions très heureux, heureux surtout d'avoir continué, d'avoir repoussé la frontière de la peur. Vous savez, chez nous à Sainte-Flavie, il y a du monde qui barre leur porte jour et nuit, et sont très effrayés quand il y a un prisonnier qui s'évade des prisons de Montréal. Même l'aventurier dans la jungle a peur. Il faut accepter cela pour la vaincre et aller plus loin dans notre cheminement.

Les enfants se baignent. La température doit être de 25 degrés et il est 17 heures. À partir de maintenant, nous prendrons le temps. Il faut vivre le moment présent. Je commence à penser de sortir mes pinceaux. En voyage, je fais surtout de l'aquarelle, mais j'ai quand même apporté mon attirail de peinture acrylique. Ce soir, nous nous paierons un grand luxe, nous mangerons dehors près du motorisé. Dans le camping, c'est plein de roulottes, surtout des Américains, quelques Canadiens de la Colombie, tous parlent anglais. Cela me déçoit un peu. Je suis venu ici pour parler espagnol, mais dans le fond de moi-même ça me rassure, les Américains, nous connaissons leurs réactions. En plus, la plupart de ces personnes sont à leur retraite.

Ghislaine demande que nous lui laissions le motorisé. Elle veut faire de la méditation. Ça l'aide beaucoup pour son asthme. Toute la famille respecte ça. Après, ce sera mon tour. Il faut faire notre méditation l'estomac vide. Après un repas, c'est très difficile, nous sombrons facilement dans le sommeil. La soirée passe, tout le monde est très content. Nous resterons ici deux jours pour décompresser, marcher et connaître des gens. Ghislaine a décidé qu'elle voulait écrire le voyage, nos émotions. Moi, j'aime mieux l'emmagasiner dans ma tête. J'y pense depuis quelques années d'écrire, mais ce n'est pas encore tout à fait décidé à 100 p. 100. J'ai fait quand même quelques essais dans les premiers temps où j'ai commencé à peindre. J'écrivais un journal, des pensées, des impressions. C'était sporadique. Depuis un certain nombre d'années, j'avais une idée fixe qui me hantait: je voulais aller passer une journée et une nuit à ma cabane à sucre.

Il faut que je vous explique: quand j'ai eu 15 ans, mon père a acheté une deuxième terre, celle du voisin d'en face. Il m'avait dit:

— Je la mets à ton nom. Elle sera à toi plus tard.

Une terre dans notre coin de pays, ça mesure 100 acres, un peu plus de 1,5 kilomètre de longueur sur 280 mètres, plus ou moins, de largeur. Il y a 30 ans, mon père l'avait payé 500 dollars. Une maison habitable et une petite grange s'y trouvaient. Des petits érables, des noisetiers et des bouleaux y repoussaient en abondance.

Trente ans plus tard, il y a des milliers d'érables qui peuvent être entaillés. Depuis sa retraite, mon père en fait son passe-temps favori. Il a bâti une cabane, ensuite une rallonge et un premier évaporateur qu'il a fabriqué lui-même. Il entaillait environ 500 érables. Un an plus tard, il a ensuite acheté un évaporateur pour 1 000 érables. Après avoir opéré durant deux ans de cette façon, il rêvait d'installer des tuyaux. À 73 ans, ça commence à être difficile de ramasser l'eau au seau. Moi, je ne participe pas encore beaucoup au temps des sucres. C'est aussi la saison des cours de peinture et au même moment je me prépare à réouvrir le Centre d'Art, qui est fermé durant l'hiver.

Quand je monte à la cabane à sucre, c'est surtout pour me faire du bois pour alimenter mon système de chauffage central. J'aime la chaleur du bois. Ça réchauffe aussi le cœur et la senteur n'est pas la même dans la maison.

Le défi qui m'habitait, comme je vous le disais plus tôt, c'était d'aller passer une journée et une nuit à ma cabane sans rien faire, car dans ma vie, j'ai toujours eu un problème de production. La société nous pousse à toujours produire davantage. Je suis de ceux qui sont tombés dans le panneau. J'avais déjà tenté l'expérience, mais après 10 à 15 minutes de solitude, je m'ennuyais et j'avais le goût de repartir. C'est comme si je me sentais mal avec moi-même. J'avais à travailler sur ce point.

TU DOIS ÊTRE CAPABLE DE SOLITUDE AVEC TOI-MÊME POUR DÉCOUVRIR TES SENTIMENTS

C'était dans le temps des sucres en hiver 1988. Je m'informe pour venir une journée où mon père ne couchait pas à la cabane, justement pour être seul. Dans l'après-midi, il faisait très beau et je suis allé faire de la méditation dans la forêt à deux reprises. Je pratiquais une technique d'échange d'énergie avec les arbres. On en choisit un gros qui a l'air en santé, et on s'imagine que l'énergie passe de l'arbre à soi.

Après plusieurs minutes, on sent que l'on fait partie de la forêt et de ce qui nous entoure. C'est merveilleux. Cela nous réconcilie avec la nature. Une paix intérieure nous pénètre et nous n'avons plus envie de bouger et nous voudrions rester là toute la vie. Le soir venu, je me fais un bon souper avec du délicieux sirop d'érable comme dessert. Je prends le temps de faire les choses. J'essaie d'apprécier chacun de mes mouvements. Je découvre le moment présent. Après avoir bien mangé, j'essaie de faire de la méditation à la lueur du poêle à bois.

Je n'avais pas allumé la lampe à l'huile. Je tombe endormi et je ne me réveille que durant la nuit. Je n'avais pas apporté de montre, exprès pour ne pas voir le temps. Je voulais que le temps s'arrête. Je mets du bois dans le poêle. Ça réchauffe vite une cabane, mais ça refroidit aussi très vite! Il fait noir, mais après quelques minutes, je m'habitue. Je m'aperçois qu'il y a des milliers d'étoiles et un quartier de lune. Je me sors une chaise sur le perron. Je mets mon habit de ski, m'enveloppe d'un sac de couchage et m'assois dehors bien emmitouflé. Je veux faire de la méditation les yeux fermés, mais comment fermer les yeux devant un tel spectacle. Il y a encore beaucoup de neige, sa blancheur éclaire les érables. Ça fait des ombres partout et c'est tellement tranquille qu'on entend le silence. Je déguste ce moment que je ne connaissais pas encore. À 42 ans, je n'avais pas pris le temps d'être bien avec moi-même. J'ai dû rester là pendant des heures. Il me semble que ça n'a duré que quelques minutes. Le froid me ramène à la réalité et j'entre dans la cabane pour mettre d'autre bois dans le poêle.

J'ai une envie, celle d'écrire ce que je ressens tout au moins. C'est très difficile, je ne sais comment. Je cherche du papier, non, avant il faut que je fasse de la lumière. Il faut que je trouve les allumettes. Je me souviens que mon père les mettait dans un petit cruchon de verre pour les protéger des rongeurs. J'allume la lampe à l'huile. Je n'ai pas de papier. J'utilise des essuie-tout pour me faire plusieurs feuilles. Le phénomène de la feuille blanche, non beige! Je décide pour m'apprivoiser de choisir un thème. Par exemple, les arbres, que je connais bien, l'amour, le bonheur; en espérant que l'émotion que j'ai en dedans va s'exprimer sur papier. Je n'ai aucune technique, je ne suis pas bon en français mais il ne faut pas que ça m'arrête. J'ai un cœur après tout, je vais le laisser parler. Je vous livre les quelques réflexions que cette nuit m'a inspirées.

LE BONHEUR

À 20 ans, je pensais que le bonheur c'était
d'avoir une blonde, un char, de l'argent.

À 25 ans, je voulais devenir millionnaire, je
travaillais, je n'étais pas heureux. Au moment
présent, je pensais seulement à l'avenir.

À 30 ans, je me posais beaucoup de questions
sur la vie; je me suis retiré à la campagne
pour mieux comprendre et je cherchais trop loin.

À 42 ans, je pense que le bonheur fait
partie du moment présent.

Le bonheur c'est d'être en santé, là, avec
nos proches, avec les choses qu'on aime.

Le bonheur c'est de travailler, de créer, de
lire, de regarder, d'aimer.

En fin de compte le Grand Bonheur, c'est d'être
simple et bon très simplement.

À la cabane à sucre, les 7 et 8 avril 1988

L'AMOUR

À 20 ans, pour moi l'amour était un amour
possessif, j'étais jaloux, j'exigeais d'être aimé,
pour aimer.

À 30 ans, j'étais un peu indifférent, je ne savais
plus où j'en étais.

À 42 ans, je pense qu'aimer n'est pas posséder
et qu'on peut aimer sans être aimé.

Pour garder l'amour d'une compagne, il faut
s'en détacher et en même temps l'aimer pour
elle-même et non l'aimer pour ensuite être
aimé d'elle. Il faut la laisser libre, la laisser
partir pour qu'elle revienne.

L'amour ça se cultive par des attentions,
par des gestes désintéressés, par des fleurs.
Parfois, il faut s'éloigner un peu pour bien
comprendre l'amour.

L'amour c'est l'autosuffisance de nous-mêmes.
C'est là que commence le véritable amour
envers l'autre.

À la cabane à sucre les 7 et 8 avril 1988

LES ARBRES

À 10 ans, je me servais des arbres
pour faire des roues de brouettes.

À 20 ans, je me servais des arbres
pour gagner ma vie, car j'étais bûcheron.

À 30 ans, alors que je restais en ville,
je les trouvais beaux et j'en décorais ma cour.

À 42 ans, pour moi ces mêmes arbres sont devenus
des êtres vivants au même titre que les hommes.
Vous savez, les arbres sont comme nous, il y en a
des grands et des petits. Avez-vous remarqué que
lorsque vous voyez une foule de loin, ces hommes
vous semblent tous pareils. C'est la même chose
pour la forêt, tous les arbres sont semblables,
mais en vous approchant, vous vous apercevez qu'il
y en a des petits, des grands, des fourbus, des bossus,
des morts et tout à côté de jeunes pousses.

Quand on parle de la loi de la jungle c'est cette même
loi dans la forêt. Beaucoup d'arbres sont écrasés
par l'ombre des gros, c'est une loi naturelle et
il faut l'accepter.

Les branches ont un rôle important à jouer, si on
les compare aux hommes, elles sont les routes qu'on
prend chaque jour de notre vie. Au bas du tronc les
branches sont plus grosses et plus entêtées, plus elles
prennent de l'âge plus les branches sont petites et de
plus en plus fines.

On revient toujours à notre tronc, à nos racines, l'arbre également finit par une branche très très fine qui se perd dans le ciel, la tête de l'arbre redevient le petit arbuste du début............................tout comme l'homme en vieillissant retrouve la sagesse de l'enfant.

Marcel Gagnon

Chapitre 4

Je reviens maintenant à la vie de tous les jours. Aujourd'hui nous sommes le 18 mai 1989. Je suis assis à mon bureau au Centre d'Art et je regarde par la fenêtre le travail que je suis en train de faire dans la cour. J'ai étendu de la poussière de pierre dans le stationnement et fait aussi une bordure avec du ciment que j'ai brassé au petit mixeur, charroyé à la brouette. J'aime beaucoup travailler physiquement. Je crois que c'est très revalorisant. À l'heure du midi, j'ai mis le tablier pour aider dans la cuisine, la saison touristique n'est pas encore commencée. La cuisinière en chef entrera seulement au travail le premier juin. C'est à cette date que les touristes commencent à arriver.

Je retourne donc au Mexique par l'écriture. Après deux jours au même endroit, nous avons une envie folle de repartir, de découvrir. Après nous être levés assez tard, nous nous rendons à Puerto pour revoir la ville. Ça nous rappellera notre voyage de l'année passée. Chemin faisant, nous traversons de petits villages et nous en remarquons un plus spécialement, Bucerias. Il nous semble plus typique et nous nous promettons d'y revenir. Nous nous rendons donc à Puerto et nous nous souvenons que le pavé de la ville était tout fait de petites roches rondes mesurant 4 à 5 centimètres, déposées sur du sable dur. Quand ça vient d'être fait, ça roule bien mais après un certain temps, ça se brise et se foule surtout où les camions et les autos passent le plus souvent. Ça démolit une auto en peu de temps. Vous pouvez imaginer que la vaisselle dans le motorisé sonnait et ça jouait une musique qui n'était pas toujours rassurante.

Notre désir le plus cher en arrivant à Puerto, c'était d'aller nous stationner à côté de l'hôtel où nous avions logé l'hiver dernier. Après l'avoir stationné, nous descendons du motorisé et j'explique aux enfants comment ce rêve de venir au Mexique en motorisé nous était venu. C'était il y un an, nous étions au Otta Gavita depuis deux jours et nous sortions de l'hôtel pour aller à la plage lorsque j'aperçois un motorisé. Moi, j'ai une manie, je regarde toujours les plaques d'immatriculation. Je dis à Ghislaine:

— «D'où viennent-ils?

— Du Québec, semble-t-il, mais personne ne se trouve à bord.»

Plusieurs jours s'écoulent et un après-midi en passant tout près, je constate que la porte est ouverte. Une petite fille et une dame à qui nous disons bonjour se trouvent à l'intérieur. Nous lui posons des questions:

— «Combien de kilomètres pour venir ici, de Montréal?

— 5 000 kilomètres.

— Combien pour l'essence?

— 350 dollars.

— Est-ce que c'est dangereux?

— Non, pas vraiment. Il y a l'armée, mais on s'habitue à leur présence.»

Nous nous regardons, nous leur disons bonjour, nous nous regardons de nouveau... Le rêve débutait, nous en reparlons à quelques reprises, à l'hôtel, sur la plage.

Nous revenons au Québec et ce projet prend forme. C'est pour dans 4 ou 5 ans lorsque Philippe aura 17 ans. Là, nous pourrons venir trois ou quatre mois. Je ne l'ai pas dit à Ghislaine, mais déjà, je savais que j'aurais de la misère à attendre aussi longtemps.

Le 22 juin 1988, c'est notre vingtième anniversaire de mariage et nous décidons de prendre trois jours pour aller à Québec nous promener dans le Vieux. Avant d'arriver au pont, nous voyons un motorisé dans une cour de garage et par instinct, nous arrêtons. Non, c'est vraiment trop cher pour la qualité, et en plus ce n'est pas une marque connue. Nous continuons, il fait beau, et je n'ai qu'une envie, c'est d'aller prendre un café sur une terrasse dans le Vieux-Québec et après, flâner dans le parc près du Château. En arrivant au pont, je fais une blague à Ghislaine, à gauche ou à droite? Elle dit: «À gauche», pensant que c'était le pont, mais la route de gauche nous menait à Saint-Nicolas et là pas très loin, il y a une fabrique de motorisés, «Campwagon». Nous allons nous y rendre, nous sommes tellement proches!

Je me fie au hasard, j'aime les moments qui ne sont pas tous planifiés d'avance, l'imprévu quoi! En descendant de l'auto, nous rencontrons un vendeur. Nous visitons de petits motorisés, neufs et usagés. Non, c'est encore trop cher. Ils sont beaux, mais ils n'ont pas de douche. Il n'y a pas de rangement pour les tableaux, les valises et les enfants. Non, c'est pas pour nous, nous allons attendre. D'ailleurs, nous ne sommes pas partis pour acheter, nous voulons seulement voir. Avant de repartir, nous en remarquons un qui n'est pas comme les autres. Un dodge, modèle B, de marque Unik, 19 pieds, usagé, très propre, seulement 30 000 kilomètres. C'est presque un curé qui avait ça! Juste ce qu'il nous faut. C'est le seul de cette marque et ce n'est pas celle du dépositaire. Ils veulent le vendre. Je demande à l'essayer. Je veux savoir s'il va verser sur la route, il a des roues simples en arrière. Au moment où je l'ai mis en marche, il a fait un peu de fumée. Après essai, tout va bien, la fumée est disparue, c'était de l'humidité. Nous faisons une offre de 14 200 dollars qui est acceptée. C'est un excellent prix, pour ce genre de motorisé. Il nous faut attendre la réponse de la banque et il est 18 heures. Ça ira donc à demain.

Notre rêve va peut-être se réaliser. Nous allons nous

promener dans le parc du Château Frontenac en passant par la rue du Trésor. Vers 11 heures 30, n'en pouvant plus, j'appelle au garage et il me dit:

— Monsieur Gagnon, vous pouvez venir le chercher, c'est accepté.

Ghislaine est assise sur un banc, pas loin. Quand elle voit mon sourire, elle conclut que les nouvelles sont bonnes. Je lui fais signe de la main. Ce sont des moments précieux. Nous nous sentons presque en lune de miel. Après 20 ans, c'est extraordinaire d'être encore amoureux et d'avoir des rêves.

Tout se déroule très vite, maintenant que nous avons le motorisé. Il faut faire le voyage! Ghislaine me dit:

— Nous emmènerons les enfants avec nous, c'est vrai l'école de la vie vaut bien souvent l'école à l'école.

Imaginez, pour des enfants, tout ce qu'ils peuvent apprendre! Les frontières, le change, la géographie, les langues, la culture, et l'expérience de vie quand tu vois un autre petit enfant qui n'a même pas de toit sur la tête. De retour à la maison, nous serons peut-être un peu exigeants envers eux, pour l'école, mais le fait de les avoir avec nous nous a permis à Ghislaine et à moi de nous rapprocher d'eux, de mieux les connaître, d'être des amis, ce qui est très important à l'adolescence.

Nous nous retrouvons donc, un an après la conversation avec la dame et sa fille, stationnés au même endroit, c'est extraordinaire quand nous avons l'audace de rêver. Dans la vie, chaque rêve que j'ai voulu réaliser très fort s'est réalisé. Nous décidons de coucher là, près de l'hôtel, dans la rue, même stationnés à l'envers. Au Mexique, ce n'est pas comme ailleurs, on peut faire à peu près n'importe quoi avec son auto. Les policiers ne sont pas nombreux et les conducteurs font un peu leurs lois. C'est très bruyant et nous dormons avec difficulté. On ne nous reprendra plus, il y a beaucoup de pollution. On dirait que les autos, les camions et les autobus pompent l'huile et n'ont pas de silencieux.

Nous nous levons et durant la journée, nous allons à la plage de Mismaloya jusqu'à 15 heures et passons au Marcados, un supermarché mexicain, comme il y en a de plus en plus dans les grandes villes. Le style américain commence à faire ses ravages, mais cela a ses avantages, car c'est plus propre, surtout si l'on doit acheter de la viande. Leur système de boucherie est assez spécial. La plupart n'ont pas de réfrigérateur. Ils achètent le matin un bœuf ou un demi-bœuf, selon leur clientèle. Ils vendent jusqu'à épuisement et après, ils ferment les portes. Parfois, c'est à 11 heures, d'autres fois, c'est vers 16 heures. On ne sait jamais. Pour le poisson, c'est pareil. Les pêcheurs apportent leurs prises le matin de bonne heure. Ils écoulent tout et ferment. La famille a mangé du poisson grillé en quantité durant ce voyage. Il est toujours frais du matin. De cette façon, nous sommes certains de ne pas avoir la «tourista», la maladie des touristes. Pour ceux qui ne savent pas, c'est une grosse diarrhée qui peut être assez grave pour nécessiter une hospitalisation. La meilleure recette pour l'avoir: trop de soleil, trop de boisson du pays et manger ce qu'on nous offre sur la plage et aux petits kiosques sur le coin des rues. Ça sent très bon et nous avons envie de goûter, mais nous Canadiens, nous n'avons pas été immunisés contre ce genre de microbes. Nous n'avons pas eu de problèmes, nous cuisinions dans le motorisé.

Nous revenons sur nos pas pour revoir le petit village, Bucerias, et nous décidons de nous trouver un terrain de camping pour connaître mieux le coin. Un beau boulevard, dans la partie neuve du village, près de la mer, nous conduit à un camping tenu par des Américains. Nous demandons le prix. Avec les enfants, ça fera 13 dollars américains. Nous restons pour la nuit. C'est très calme, la mer est belle, les enfants se baignent. Nous, nous en profitons pour faire le plein, vider les réservoirs. Nous ne louerons pas un terrain tous les soirs, nous les trouvons assez chers, même si nous ne sommes pas venus au Mexique parce que c'était moins cher. Nous sommes ici pour voir des Mexicains, pas des Américains.

Vers 11 heures, nous repartons pour visiter les lieux et nous trouvons une buanderie. Ça fait un bon bout de temps que nous n'avons pas fait le lavage. Nous continuons et nous découvrons une petite rivière. Nous voulons voir la vieille partie du village qui se trouve de l'autre côté. Ha! Il n'y a pas de pont. Tout le monde traverse dans l'eau, pourquoi pas nous? Nous n'en revenons pas, les enfants encore moins, mais nous allons nous habituer au pays. Le soir, nous décidons de vraiment faire la vie de bohème. Comme nous nous étions promis, nous ne louons pas de terrain, nous couchons près du camping, mais dans la rue. Le premier soir, tout va bien et nous ne sommes pas dérangés. La deuxième journée, vers 17 heures, nous décidons d'acheter des poissons et de nous faire un petit feu sur la plage, pour les faire griller.

Comme nous terminions notre bon repas et que nous commencions à apprécier l'endroit et le coucher de soleil resplendissant, deux Américaines viennent nous parler et l'une d'elles dit à Ghislaine en anglais que si nous ne partions pas, elle appellerait la police, qu'il lui reste des places dans son camping juste à côté. Ghislaine dit:

— Elle n'a pas le droit, nous sommes dans la rue et nous ne partons pas!

Après réflexion nous nous disons que si elle a des amis dans la Police, nous aurons des troubles, puisqu'ici au Mexique, les bandits ça peut être souvent les policiers.

J'ai le goût de vous raconter une anecdote sur la Police. C'est une histoire que nous ont racontée des amis dont le beau-frère est allé faire une promenade au Guatemala.

En revenant près de la frontière du Mexique, ils se sont fait attaquer, dévaliser, et les bandits sont même partis avec leur voiture. Naturellement, ils s'adressent au bureau de la Police pour se plaindre de leur mésaventure. Le chef leur dit:

— Je vais essayer de faire quelque chose pour vous.

Il appelle tous les agents qui étaient présents, les fait mettre en rang et demande aux touristes:

— Ce ne serait pas un de ceux-là qui vous aurait attaqué?

Ça peut paraître exagéré mais quand on connaît le Mexique, on sait que c'est possible.

Nous décidons de déménager à contrecœur et d'aller du côté de la vieille partie du village. En arrivant près de la rivière, nous nous apercevons qu'il y a des festivités. C'est la fête de leur patronne, la vierge de Bucerias. Avez-vous déjà assisté à une fête au Mexique? C'est surprenant de voir les costumes, les couleurs, les danses. On ne peut pas s'imaginer que dans leurs petites maisons de terre, ils peuvent garder ces trésors de costumes, de robes de satin et d'autres déguisements très colorés. Nous arrêtons le motorisé, pas loin de l'endroit où la parade passera. Nous n'osons pas en descendre, nous ne sommes pas encore assez braves, mais nous ouvrons les vitres pour mieux voir. Ghislaine a un peu la tête sortie par la vitre quand un Mexicain, qui avait sur son dos un petit garçon, s'arrête pour que nous ayons la possibilité de faire des caresses au garçon. Ce geste nous a marqués. Je crois qu'à partir de ce moment, nous avons compris combien, en général, ce peuple est doux et joyeux. Nous venions de nous sentir acceptés.

TU DOIS CESSER D'ACCUSER POUR
FAIRE PLACE À L'ACCEPTATION

Le soir même, nous sommes restés dans les environs pour dormir, pendant que la fête continuait de plus belle tard le lendemain. Les réjouissances se sont poursuivies durant toute une semaine avec des jeux de hasard, une grande roue pour enfants, montée sur une vieille jeep. Nous pouvions gagner des boîtes de biscuits en lançant des petites fléchettes. Des petits restaurants improvisés où ils faisaient dorer des poulets coupés en deux et aplatis comme s'ils

étaient passés sous un rouleau compresseur. Ça sentait bon.
Nous laissons enfin notre motorisé pour marcher un peu,
tous fiers d'avoir réussi l'exploit de nous mêler à eux.

Non loin de là, un magnifique terrain de camping, tout
neuf avec piscine. Un Français nous répond qu'il y aura de
la place seulement dans deux jours. Nous nous décidons
d'attendre. Nous visitons la région et nous revenons coucher
près de la clôture du camping où nous nous sentions en
sécurité; nous avions la permission. C'est ce matin que la
place est libre et les enfants ont très hâte d'essayer la piscine,
tandis que moi j'ai le goût de peindre et de me détendre car
depuis le départ, ça n'a pas toujours été de tout repos.

Bien installés à Vistabahia, c'était le nom de cet endroit
magnifique avec la mer tout près, un petit paradis. Un autre
Canadien de Sherbrooke, qui venait au Mexique depuis six
ans, s'y trouvait et il n'avait jamais eu de mauvaises sur-
prises. Cela nous rassura. Le village se trouve à moins d'un
kilomètre et nous allons faire les emplettes à pied par la
plage. Nous pourrons nous régaler, il y a un marché de
poissons et nous sommes ici pour 19 jours. En restant sur
place, nous pourrons faire plus de méditation, chaque jour
surtout. Nous en avons parlé avec les enfants et ils aime-
raient essayer. Ça va être l'occasion et nous commencerons
demain matin, au lever.

Il est 8 heures et je me réveille doucement. Ghislaine
dort encore, elle aime bien rester au lit quand elle ne
travaille pas. Les enfants commencent à bouger. Je regarde
dehors où la vie reprend aussi son cours. La journée
s'annonce très belle. Il fait toujours beau ici, que du soleil
depuis que nous sommes arrivés. Un peu chaud, mais à
l'ombre nous sommes juste bien. Guillaume ouvre les yeux
et me sourit. D'ailleurs, il sourit presque tout le temps,
surtout quand il nous joue un mauvais tour. Philippe a
encore envie de dormir, mais s'agite un peu. Ils sont couchés
en sens inverse et en se déplaçant, il touche un peu son
frère qui réagit en disant:

— Fais attention! Reste sur ta moitié de lit et laisse-moi la mienne.

Ghislaine se lève légèrement la tête.

— «Quelle heure est-il?

— Guillaume répond, il est 4 heures.»

Il ne nous répond jamais la vérité mais se corrige quelques secondes après. Elle se tourne vers moi, elle sourit. Elle sourit toujours le matin, même quand elle n'est pas en vacances. Je la trouve belle. Je demande:

— «Êtes-vous prêts pour votre méditation?

Les enfants bougonnent un peu. Guillaume, le gourmand, dit:

— Moi, j'ai faim.»

Je lui réponds qu'il faut faire la méditation avant le repas; le matin c'est idéal avant de commencer la journée. Ils acceptent d'essayer. Ils sont curieux.

Tout le monde se lève et nous remontons la table où les enfants couchent. Ghislaine insiste pour faire notre lit, les parents en avant, les enfants à la table. Nous commençons à leur expliquer en quoi ça consiste et ce matin c'est Ghislaine qui va parler doucement, pour les diriger. C'est la première fois pour eux.

Ça ne bouge plus à l'intérieur du motorisé. Nous entendons les bruits de la route. Les enfants jouent le jeu. Moi, mes pensées vagabondent. Je les laisse défiler sans les encourager. Je suis comme indifférent à ce qui se passe. Je décroise les pieds, ensuite les mains que je laisse tomber près de moi. Je sens mon corps qui se détend. Mon estomac et mon ventre commencent à faire des petits sons. Je sens que les muscles de mon système digestif reprennent leur place naturelle. Je commence à sentir que le bout de mes pieds et de mes mains s'engourdissent; c'est bienfaisant! Je suis super conscient de mon corps et de tout ce qui peut survenir dans les alentours. Les bruits sont plus aigus mais je les oublie par moments de plus en plus longs. Je sens mon corps qui se réchauffe et en même temps disparaît. J'ai les yeux fermés et je regarde dans le noir où des petits jets de lumière m'arrivent de loin. Je suis bien! Quand des pensées extérieures me distraient, je répète mon mantra, un mot qui n'a pas de sens, qui ne me rappelle rien de coutumier.

Je reviens à ma tête. J'essaie de me concentrer sur un point entre les deux yeux, que les mystiques appellent le troisième œil. Les jets de lumière sont de plus en plus forts et lumineux. J'ai percé le nuage qui nous empêche de puiser dans cette énergie de l'univers. Cette énergie pourrait bien être Dieu, Allah ou un autre dieu d'un autre monde. Je sais qu'une bonne méditation me redonne des forces spirituelles et physiques, me remplit de créativité. Ce jet de lumière dure quelques minutes. Pour ce matin, ce sera difficile d'aller plus loin puisque la vie reprendra bientôt peu à peu dans notre maison roulante. Je refais le voyage de retour en comptant calmement jusqu'à 10, en prenant des respirations pour que mon cœur recommence à battre normalement. Son rythme s'était ralenti à 55 pulsions/minute, ce qui explique l'engourdissement. J'ouvre les yeux et, lentement, je bouge les orteils et les mains. Je me sens un peu confus, mais ce n'est pas désagréable. Je me tourne vers Ghislaine qui a encore les yeux fermés. Je regarde en arrière, Guillaume et Philippe me sourient, mais ils demeurent immobiles car ils savent que leur mère n'a pas encore terminé et ils pourraient la faire sursauter. C'est très désagréable de revenir trop rapidement d'une méditation. Ça produit le même effet que de se faire réveiller brutalement. On peut réagir très vite, mais c'est à éviter et si l'on est dérangés, on fait ce que l'on a à faire. Par exemple, répondre au téléphone, et tout de suite on revient à notre méditation pour en ressortir doucement.

Ghislaine ouvre ses yeux qu'elle dirige vers les garçons. Elle demande:

— Et puis les enfants, est-ce que vous avez aimé?

Pas de réponse, ils ne savent pas trop. Guillaume dit qu'il se sentait un peu engourdi, nous n'insistons pas. Ils promettent d'essayer de nouveau demain matin.

La journée sera splendide, soleil, chaleur. J'ai une grosse envie de peindre. Je n'ai rien fait depuis le départ. Enfin!... J'ai besoin de solitude. Je me sens l'âme en paix, je me suffis à moi-même. Je décide qu'aujourd'hui ce sera l'aquarelle, c'est très facile à transporter. Je n'apporterai pas ma petite valise où je range mon attirail. J'emprunte le sac à dos de Guillaume qui est heureux de pouvoir me rendre ce service. Je vais au village à pied, pour peindre là-bas, et les garçons demandent s'ils peuvent venir avec moi. Je regrette mais je n'emmène personne ce matin. J'aime me retrouver seul. Ghislaine comprend ça, elle aussi ça lui arrive de vouloir s'isoler pour écrire ou pour lire. Peut-être que demain je prendrai un des deux enfants avec moi, mais il faudra qu'il respecte mon horaire.

Je pars donc avec le sac à dos, par le petit boulevard qui longe la mer. Je veux voir s'il n'y aurait pas de jolis coins à peindre et je suis un peu curieux de voir les modèles de maisons. Il y a des maisons qui sont en train de se faire construire. J'aime la construction. J'ai fait de mes mains deux maisons en pierre. Je remarque qu'au Mexique, avant de faire la maison, ils érigent le mur autour du terrain. C'est une tradition et je ne sais pas... c'est peut-être pour délimiter leur territoire, pour le vol. Tous les murs sont en blocs de ciment, souvent faits à la main, recouverts d'un produit, genre stuc-plâtre. Les édifices de deux ou trois étages sont bâtis très solidement, les charpentes sont en acier à cause des tremblements de terre, ce qui m'a surpris; bien sûr, je vous parle des maisons de riches. Quelques Mexicains et un grand nombre de personnes venues d'ailleurs, mais le Mexique appartient aux Mexicains. Aucun étranger ne peut posséder de terrain à son nom. Il faut qu'il se trouve un prête-nom, un Mexicain en qui il a confiance et à qui, souvent, il fait signer une reconnaissance de dettes pour le montant de l'investissement. C'est très risqué d'agir ainsi parce qu'il arrive que les affaires tournent mal et que l'étranger perd tout. On peut devenir propriétaire de façon plus sécuritaire aujourd'hui au

Mexique, en achetant une propriété ou un terrain au nom d'une banque mexicaine, en signant un bail de 30 ans. On peut revendre ou faire ce que l'on veut, mais à la fin du bail, ça pourra être renégociable. Bon, je m'égare de la peinture, c'est mon penchant pour l'immobilier qui remonte à la surface. Je vous en reparlerai un jour.

Je continue ma marche. Il est 10 heures et je rencontre de jolies demoiselles, un peu gênées, mais très ravissantes. La plus jeune a une superbe robe de dentelle blanche, la plus vieille la traîne par la main. Elles me sourient, je leur dis: «ola». Elles me répondent toutes les deux, même la petite qui n'avait pas encore quatre ans. Je traverse un beau parc, tout en pierres moulées et très cher, comme on met dans nos entrées de garage mais ici, tout le boulevard où je suis passé en est fait. À ce qu'on m'a dit, c'est le gouvernement qui a investi dans ces nouveaux quartiers pour pouvoir vendre des terrains, mais ça doit faire quatre ou cinq ans. Ils sont assez différents de nous; ils construisent de beaux boule- vards en quantité et de magnifiques parcs pour ensuite les laisser aller complètement à l'abandon. Ils manquent de fonds pour les entretenir.

Je passe près d'un trou d'homme en plein milieu de la chaussée. Vous savez, le trou dans la rue où les employés d'entretien peuvent descendre pour inspecter les installa- tions d'égout et d'eau. Eh bien! pendant les trois semaines où j'ai circulé dans le coin, le couvercle n'a jamais été remis. Il n'y avait aucune indication et les autos roulent une roue de chaque côté. Cela a l'air naturel pour eux, tandis que pour nous, ça nous semble invraisemblable. S'il fallait qu'une roue de voiture tombe dedans.

Je continue ma promenade et je constate qu'il y a de plus en plus de fleurs, de toutes les couleurs. J'ai envie de les peindre, c'est trop beau! J'ai peur de ne pas être capable de leur rendre justice, elles sont si belles!

Le boulevard finit de l'autre côté de la butte de terre. Après c'est le village, celui des pauvres qui, eux, n'ont pas eu de subvention, ce sont des Mexicains. La rue est faite de terre et de pierres, de trous, de poussière, de déchets le long des bouts de trottoirs existants. Un chien marche lentement devant moi, comme tous les chiens ici. Habituellement, ils me font peur mais pas ceux d'ici, ils sont si doux, le climat les ralentit.

Une petite fille est assise sur le trottoir. Je remarque qu'elle est en train de coller des photos de robots dans un livre minuscule. Elle en a trois dans ses mains. C'était dans une enveloppe imprimée en anglais. Les Américains sont rendus là. Je lui dis «ola!» Elle me répond gentiment, elle sourit. Je me rends compte que tout le monde sourit ici, c'est merveilleux! Ils doivent être très heureux, même dans leur pauvreté. Je suis très surpris aussi que cette enfant qui est seule n'ait pas peur de moi, un étranger, elle est très jeune, quatre ou cinq ans. J'ai une barbe, les Mexicains n'en ont pas, très rarement en tout cas.

Je suis assis près d'elle sur le trottoir, ma jambe touche à la sienne. Elle a dû se couper, je remarque qu'il y a un pansement adhésif à l'un de ses doigts menus et c'est difficile pour elle de coller ces robots dans les cases. Je m'approche la main pour l'aider, mais je pense que je vais lui couper son plaisir. Je lui redis «ola» et je continue. Elle me répond sans me voir, elle est très absorbée par son travail. J'arrive au coin de la rue, un grand mur de brique en construction, une épicerie-dépanneur. Ça doit être là qu'ils vendent les cartes de robots. J'ai un peu faim, je m'achète une banane, 200 pesos (environ 10 cents).

Je me dirige vers la mer. Je passe devant un bureau de médecin. L'employée qui reçoit les patients est très jeune et très jolie. En général, elles sont très habillées, jusqu'au cou, et portent toutes des brassières; mais elle, elle a une robe bleue décolletée, c'est très agréable à voir. La vie est belle!...

Avant d'arriver au bout de la rue il y a des petits commerces de poissons, une coopérative de pêcheurs du village et un autre, indépendant. Beaucoup de monde s'affaire. Un monsieur arrive avec un gros sac; deux pieuvres en sortent, tombent sur le comptoir. On les pèse, on marque ça dans un grand livre, on les met sur la glace près de plusieurs sortes de poissons, surtout des poissons rouges qu'on appelle là-bas toujours par un nom anglais, «red snapper». Ils sont délicieux, un peu plus chers que les noirs qui ressemblent à des poissons-scies, mais en plus petits. Je reviendrai plus tard, c'est ce que nous allons manger ce soir, nous allons nous payer un bon gueuleton.

J'arrive enfin sur la place où il y a tous les bateaux de pêche qui sont rentrés à cette heure. Il doit être 10 heures 30. Il est trop tôt pour que des touristes soient déjà là. Le village de Bucerias doit mesurer un kilomètre, et en plein centre il y a une rangée de petits restaurants aux toits de chaume ou de bambou, peut-être une bonne vingtaine avec des tables sur le sable. Il faut que j'en choisisse un, lequel ? Je les examine tous, un à un et je reviens sur mes pas.

Les vendeurs qui sollicitent les touristes sur la plage reprennent le travail et eux, ils s'arrêtent tous au même restaurant où il y a plusieurs tables, peut-être 25. Je m'installe ici, ça me donnera sûrement l'occasion de parler avec eux. Je pratiquerai mon espagnol. Je m'assois. Un serveur vraiment pas très gros, qui doit avoir 12 ans, vient me voir. Je commande une bière au hasard (cerveza) après qu'il m'ait nommé quelques marques que je ne connais pas. Je ne distingue pas les bières canadiennes, encore moins les mexicaines. La bière coûte 1 500 pesos. Comme il désire me vendre autre chose, il ne veut pas que je le paie tout de suite. Mon compte est ouvert! Je me laisse vivre quelques instants.

J'enlève mes souliers, le sable est très chaud au soleil, mais à l'ombre au-dessous de la table, c'est plutôt frais. Je change un peu d'endroit, la chaise entre dans le sable et je tombe presque à la renverse. Je m'étire les jambes, je suis en culotte courte. Je détache ma chemise pour me faire bronzer un peu. Je suis tellement bien que j'aimerais vivre ici quelques

mois par année. Mais comment peut-on faire des projets quand le moment présent est si merveilleux? Je sens que je fais partie de plus en plus du pays et je n'ai plus peur.

Après une heure et une autre bière, je me décide d'ouvrir mon sac à dos qui contient mon dictionnaire espagnol-français au cas où..., mes feuilles pour l'aquarelle. J'utilise du 300 livres, c'est plus rigide que le 140 livres et il ne gondole pas. La qualité du papier, c'est très important. Je sors mes trois pinceaux en poils synthétiques mais de bonne qualité, que je préfère aux poils d'animaux; un carré, large de 5,5 centimètres, un autre de 3,5 centimètres, de même qualité et un traînard pour les petits détails, qui m'a coûté 24 dollars. Il ressemble à une longue mèche de cheveux de 5 centimètres de long, très mince. Il peut emmagasiner une bonne réserve de peinture, ce qui me permet de travailler plus longtemps avant de retourner à ma palette. Les lettreurs s'en servent aussi. Mon bocal d'eau douce au cas où il n'y en aurait pas. L'eau de mer est salée et peut changer la couleur et affecter le papier, mes essuie-tout, ma gomme réserve, ma brosse à dents, mon ruban gommé en papier, un crayon, une gomme à effacer et évidemment la palette avec les couleurs déjà disposées dessus. Je les ai posées avant de partir du Québec; c'est préférable que la peinture soit sèche comme les petits blocs que les enfants utilisent.

Je m'aperçois que la palette n'a pas été bien lavée la dernière fois. Je me rends près de l'eau et j'attends la vague. J'essuie le tout et maintenant qu'elle est très propre, je peux enfin commencer. J'ai hâte et peur à la fois, après quelques semaines ou peut-être quelques mois sans avoir touché à l'aquarelle. C'est un médium que j'emploie surtout en voyage. Je n'ai pas vraiment envie de peindre les maisons, la mer, les gens. Il faut que je les apprivoise avant! Il faut que ce pays fasse partie de moi.

L'HOMME POUR ÊTRE CRÉATIF DOIT SAVOIR QU'IL EST UN ÊTRE UNIQUE; C'EST DE CET ÊTRE UNIQUE QUE LA CRÉATIVITÉ JAILLIT

Des touristes commencent à se promener. Les vendeurs qui sont aux tables à côté s'intéressent à ce que je fais. Ils sont gênés, mais ils s'approchent pour voir et ils s'en retournent, la feuille est toujours blanche. L'un d'eux vient m'offrir un gilet. Je réponds «no gracias» et il n'insiste pas. J'ai vraiment l'impression de n'avoir rien de concret à exprimer, il faut que ce soit le subconscient qui travaille. J'esquisse un grand cercle sur ma feuille avec mon pinceau sans faire aucun dessin au crayon. J'entoure ce cercle de couleur très foncée violet rouge, en dégradé vers le bord de la feuille. À l'intérieur de ce rond qui ressemble à un œuf je dessine quelques personnages. Cette fois j'utilise mon crayon pour donner plus de précision puisqu'à l'aquarelle, on ne peut recommencer. Il faut réussir la première fois ou c'est la filière 13 (la poubelle).

Je m'arrête un instant pour m'étirer les pieds dans le sable qui devient de plus en plus chaud. Deux jeunes filles qui ressemblent à des Espagnoles sont venues s'étendre sur la plage, non loin de moi. Elles sont jolies et se ressemblent, peut-être deux sœurs. Ça agrémente la journée! La nature nous a comblés de tellement de belles lignes et je pense réellement que le corps humain est la plus extraordinaire réalisation de cette **énergie** qu'on appelle Dieu.

Deux enfants sont venus me rendre visite, un garçon de neuf ans environ; il s'assoit à ma droite et une fille d'une douzaine d'années qui s'installe à ma gauche. Je leur dis «ola», bonjour en espagnol; ils me répondent en souriant et me regardent travailler. Un homme, les bras surchargés de chandails, s'arrête; il aimerait comprendre ce que je fais. Il examine mon travail dans tous les sens et il essaie de voir ce que je peux peindre. Tout à coup, il se montre le côté de la tête et dit en espagnol:

— «Imagination.

Je lui dis:

— Si senor.»

Il repart en souriant. D'autres personnes arrivent de chaque côté, il doit y en avoir sept ou huit près de moi. Le jeune garçon joue un peu avec mes pinceaux. Je lui demande s'il veut essayer. Mon espagnol ne doit pas être bon car il n'a pas l'air de comprendre. J'avais dans mon sac un cahier à dessin. J'y arrache une feuille et lui donne un pinceau en lui montrant la palette de couleurs. Il accepte. Il en avait tellement envie. Il dessine une petite maison, un arbre, comme les enfants du Québec. Je le regarde, il avait complètement oublié son travail qui est de vendre des paquets de gomme Chiclets. Je continue à travailler malgré la foule. C'est stimulant de peindre en public et j'ai toujours aimé ça. Je le fais souvent quand je donne mes cours. Pour mieux expliquer, je fais des démonstrations.

Je crois bien que le tableau est terminé. Je n'ai plus envie d'y retoucher. Le plus difficile en peinture, c'est d'arrêter. En aquarelle, par exemple, il y une tradition: une à deux couches, c'est très bon, la troisième et la quatrième couche, c'est de la gouache. Il faut éviter de rendre les couleurs opaques, puisque le blanc c'est le papier et qu'il faut lui garder sa transparence.

Je range le tout, paye mes bières, tout le monde s'en va, il n'y a plus rien à voir. Je prends le chemin du retour et m'arrête à la poissonnerie. Il leur reste encore quelques poissons rouges; j'en achète trois que je demande en filets, c'est le même prix, pourquoi pas!

Pour rentrer à la maison, je reviens par la plage. Les touristes sont arrivés et il y en a un peu partout, mais pas autant qu'on pourrait croire. Il y a des condos tout le long, et tout près, des tables avec parasols en bambou. C'est un spectacle que j'aime beaucoup voir et qui me dépayse, surtout quand on pense au temps qu'il fait au Québec. Des petits Mexicains se baignent tout habillés; c'est toujours comme ça, ils n'ont pas de maillots de bain, et les petites filles se baignent souvent en robes de dentelle blanche. Lorsque les parents sont avec eux, ils s'amusent beaucoup ensemble. Ils s'assoient dans le sable mouillé, où la vague finit, et font des trous dans le sol. Les touristes se tiennent beaucoup plus haut, près du bord des terrains, en maillots de bain, avec des serviettes de plage et de l'huile à bronzer. Ils constituent deux clans bien distincts.

Je marche doucement, les souliers à la main, là où le sable est humide. Quand j'arrive près de la piscine, mes deux gars se baignent et Ghislaine allongée sur une chaise prend du soleil. Ils ont l'air content de me voir et je leur annonce que nous allons manger du poisson frais ce soir. Ils veulent voir mon aquarelle, que je suis content de leur montrer. J'ai toujours aimé montrer mes œuvres, peut-être que j'en ai besoin pour me revaloriser. Je m'étends à côté de ma compagne et nous parlons un peu de la journée. Tout le monde est content, les vraies vacances sont commencées.

Avant le souper, Ghislaine, voulant faire sa méditation, nous demande le motorisé quelques minutes. Nous acceptons avec joie et cela la rend heureuse et par le fait même, nous en profitons tous. Moi, ce sera plus tard durant la soirée, si j'en ressens le besoin. Pour le moment, je me sens très bien et je n'ai pas envie de changer quoi que ce soit à cet état. C'est moi qui fais cuire le poisson, bien épicé et grillé à point, dans un petit four que nous avions apporté. Toute la famille se régale et nous avons trop mangé, encore une fois. Le soir venu, les douches, la promenade sur la plage, les enfants qui étudient un peu leurs leçons car pour eux il y a de l'école au Québec. Nous avions fait un marché, mais ce n'est pas toujours facile d'étudier en vacances, c'est très douloureux quelquefois. Guillaume, qui est au secondaire, est plus responsable et il sait qu'il faut étudier. Philippe, lui, n'est pas très sérieux et je pense qu'il fait plus semblant qu'il étudie vraiment.

Toute la famille se met au lit après avoir vécu une

journée remplie de petits moments présents très intenses. Le lendemain matin, nous faisons une autre expérience de méditation avec les enfants, et nous sentons bien qu'ils ne sont pas prêts à ça encore. Nous sommes conscients que l'expérience de la vie est très importante pour décider de s'adonner à cet art. Nous avons décidé d'un commun accord, Ghislaine et moi, d'arrêter cette expérience. Ils en savent suffisamment et nous espérons seulement qu'un jour, ils prennent le goût d'en faire, car pour nous c'est maintenant une façon de vivre que nous conserverons, je pense, jusqu'à notre mort. Nous connaissons ses bienfaits, et nous voulons les partager avec d'autres sans prétention. Je vous en donne une recette: il faut dire qu'il y en a autant que de sortes de gens et on doit l'adapter à sa personnalité. Nous faisons souvent tant d'efforts pour soigner notre corps et oublions que la méditation soigne notre âme.

Chapitre 5

Je commence par vous donner une technique de méditation tirée du livre de Marc de Smedt qui, lui, l'a obtenue du grand maître Dalai Lama. Ensuite, je vous ferai connaître ma recette personnelle que j'ai puisée à plusieurs sources, dans mon intuition, mon bien-être, et en pratiquant.

Voici la recette du grand maître:

Le cœur ne peut changer que par le sentiment intense de la précarité de notre condition. Il ne s'agit pas ici d'épouser une expérience «tibétaine» ou orientale «mais de réaliser la sienne propre, après la nuit noire vient l'aube. Lorsque tout s'effondre et semble irréel, il faut simplement accepter de se laisser aller».

«Tous nos problèmes viennent de notre désir de saisir: la méditation est le moyen de désapprendre nos tendances à vouloir saisir. En vous laissant aller, une sensation naturelle d'espace monte en vous, c'est cela la méditation. Lâcher prise, vouloir saisir sont deux attitudes du mental, ce mental qui, lorsqu'il s'oublie est si brillamment, si savamment artificiel et trompeur. La méditation est la voie de la simplicité, de l'ouverture, de la justesse qui rencontre le mental. Elle se sert du mental pour mater le mental.»

La base de la pratique de la méditation est la relaxation. Tout d'abord, il importe de s'installer confortablement, afin que les pensées et les sentiments s'apaisent, il n'y a rien à atteindre, rien à accomplir; alors, laissez-vous aller! Oubliez toute idée reçue, oubliez même que vous êtes en train de méditer. Restez immobile et respirez comme ça vient, naturellement.

«Quant au mental, il ne s'agit pas de supprimer les pensées, ou de les retenir, mais bien au contraire de les laisser passer, sans se laisser distraire ou séduire par elles. N'essayez pas de les influencer. Que vous soyez en train de rêver ou de réfléchir...eh bien, rêvez, réfléchissez, tout simplement. Si vous n'en rajoutez pas, les pensées passeront toutes seules.»

LES RÈGLES DE LA MÉDITATION

Parvenir à la tranquillité du corps et de l'esprit, dans le silence et la solitude, tel est le but primordial du méditant.

Les règles établies sont:
— ne pas penser;
— ne pas analyser;
— ne pas réfléchir;
— garder son esprit dans son état naturel.

A) LA CONCENTRATION SUR UN UNIQUE OBJET

Se concentrer sur un unique objet, par exemple, une montre, est une des méthodes qui permet cette réalisation. Cette concentration unique est en général divisée en deux types de pratiques: celles qui ne font pas intervenir la respiration rythmée et celles qui la font intervenir.

1. Concentration avec respiration libre

On recommande en général d'utiliser un objet simple, une petite pierre, la flamme d'une bougie, l'extrémité rougeoyante d'un bâton d'encens qui se consume ou n'importe quel objet de petite dimension, à condition qu'il se distingue facilement de l'environnement.

Après, le méditant concentre son esprit sur l'objet, et fixe sa pensée l'empêchant de vagabonder. Il ne s'identifie pas à l'objet, mais dans la posture correcte, il le regarde et laisse de côté toute activité physique et mentale. Lorsque l'esprit est agité par la vague de pensées, il est recommandé de pratiquer dans un lieu clos, l'ermitage ou cellule (chambre). Si, au contraire, l'esprit est indolent, il vaut mieux alors méditer en plein air, sur un lieu élevé duquel on puisse voir loin afin de stimuler l'énergie.

Après avoir expérimenté cette première méthode de concentration avec succès, le méditant aborde la triple contemplation du corps, de la parole, et de l'esprit. Cela peut être Dieu, un mantra ou un point lumineux.

2. Concentration avec respiration rythmée

Ces techniques ont une importance capitale car elles ouvrent la porte à la maîtrise parfaite de la respiration qui seule permet au méditant d'atteindre les plus hauts états de bien-être.

La maîtrise du souffle se développe parallèlement à la maîtrise de la pensée car il existe un lien profond entre ces deux fonctions. Chacun peut s'en apercevoir; il suffit de changer de rythme respiratoire pour changer de région mentale. C'est l'une des techniques pratiquées pour chasser, au cours de la méditation, la formation de pensées et de souvenirs qui empêchent la concentration.

Après avoir réglé sa posture, le méditant se concentre sur l'inspiration et l'expiration du souffle en les rythmant.

Le mouvement peut s'accomplir en deux temps: inspiration-expiration ou en quatre temps: inspiration-rétention-expiration-vide.

La méthode la plus simple consiste à compter rythmiquement en se laissant totalement absorber par le rythme. Il faut également suivre l'air dans son voyage à l'intérieur du corps. Chaque mouvement doit être lent et imperceptible.

En pratiquant ces techniques, le méditant prend conscience et maîtrise à la fois le corps et l'esprit. Il se pratique à la concentration telle que Télapa la définissait.

B) CONCENTRATION SANS OBJET

Les trois méthodes qui suivent permettent de maîtriser le flux de la pensée automatiquement et de s'en détacher afin de connaître l'extase.

1. Couper la racine de la pensée

Avant toute chose, il convient d'avoir conscience du rythme de la pensée qui nous traverse en une infime succession d'élans et nous empêche de réaliser la succession de vacuité fondamentale de notre propre esprit. Une fois que cette conscience est claire, il faut, dès le début de la méditation, couper toute pensée dès qu'elle surgit. Cette méthode est appelée «méthode pour couper la racine».

2. Ne pas réagir aux pensées

Cette méthode ne tente pas de supprimer l'objet mais simplement de rester indifférent et neutre face au déroulement de la pensée. Le méditant n'alimente pas les pensées qui se produisent en lui et les laisse couler avec indifférence, comme s'il s'agissait de choses étrangères à lui. Même sans faire l'effort de les arrêter, le méditant les dissocie du flux continu et n'y porte plus aucune attention.

3. Atteindre l'état naturel de l'esprit

Cette dernière méthode est celle de l'équilibre parfait qui permet à l'esprit de retrouver son état non souillé. Le méditant ne doit ni tendre, ni relâcher son esprit. Dans cet état qui évite tout extrême, donc la fatigue, la tension et le relâchement, le méditant garde son esprit détaché des idées, en parfaite contemplation. Son attitude vis-à-vis des visions qui se produisent alors est la même, il ne s'y fixe pas, il ne tente pas de les écarter, il demeure seulement en état de concentration, sans s'attacher en aucune façon aux phénomènes qui se produisent.

Voici à présent les règles traditionnelles concernant la méditation telles qu'on les enseigne.

LES CINQ OBSTACLES

(1) la paresse qui décourage de la pratique de la méditation;
(2) l'oubli de l'objet de la méditation par défaillance de la mémoire;
(3) le relâchement, bien que l'on n'oublie pas l'objet; l'esprit est dominé par le relâchement et la dispersion;
(4) associé aux deux obstacles précédents, le quatrième obstacle est le cas du méditant qui sait que son mental est dominé par le relâchement et la dispersion, mais ne fait aucun effort pour développer les facteurs opposés et supprimer l'obstacle.
(5) il arrive parfois qu'après avoir fait l'effort nécessaire pour combattre l'obstacle et être parvenu à produire les facteurs opposés, on continue l'effort alors qu'il n'en est plus besoin.

Tant que les cinq obstacles ne sont pas supprimés on ne peut pas obtenir la concentration. Pour entraîner le mental et lui permettre de parvenir à son but, on utilise les «huit d'hormos» qui s'opposent aux obstacles et les neutralisent. Ces huit d'hormos sont:

La foi	
La détermination	s'opposent à la paresse
L'énergie	mentale
La volonté	
La mémoire de l'objet	s'oppose à l'oubli
L'intelligence vigilante	s'oppose au relâchement et à la dispersion mentale
Réaction immédiate	dès qu'une distraction apparaît
Détente et équanimité	

LES HUIT ÉTAPES DE LA MÉDITATION

1. Au premier stade, le mental cesse d'être affecté par les objects extérieurs. Il s'établit sur l'objet de la méditation.
2. Le courant de la force mentale se renforce et se régularise. Le mental se trouve contraint de revenir sur l'objet, il se fixe, mais pour une courte durée.
3. On acquiert la capacité de rappeler le mental sur l'objet dès qu'une distraction survient.
4. Le mental se développe et, en même temps, se limite exactement à la forme de l'objet.
5. Le mental constate les mauvais résultats des distractions et des passions. Il aperçoit les avantages de la concentration, et il se discipline.
6. Le mental se calme. Les sentiments opposés à la concentration s'atténuent. Le mental éprouve encore de l'attraction pour les objets des sens, mais lorsqu'une difficulté s'élève, le méditant est capable de la surmonter.

7. Pacification subtile du mental.
8. Le flot du mental coule régulièrement de plus en plus dense et unifié vers l'objet.

LES SIX FORCES

1. Lire des textes sur la méthode à suivre pour fixer le mental. C'est ainsi que la première force se développe.
2. La force de la pensée répétée établit le mental sur la voie de la concentration.
3. La force de la mémoire rappelle le mental distrait et le fixe à nouveau sur l'objet de la méditation.
4. L'intelligence vigilante permet de voir les mauvais résultats des passions et les fruits excellents de la concentration. Cela suscite la joie dans la méditation.
5. La pureté de l'énergie préserve le mental des passions.
6. La «force de l'habitude» est la relation naturelle et complète du mental de la concentration. L'effort d'attention du mental est devenu inutile.

LES QUATRES ACTIVITÉS MENTALES

1. Intensité et convergence. Au moyen de cette activité, le mental pénètre dans l'objet.
2. Concentration discontinue. Cette activité ramène le mental sur l'objet.
3. Concentration régulière grâce à l'effort.
4. Concentration spontanée. Le mental demeure fixe sur l'objet sans aucun effort.

EFFETS PHYSIOLOGIQUES DE LA MÉDITATION

D'après le docteur et psychothérapeute Lawrence Le Shan:
«La méditation semble produire essentiellement un état physiologique de profonde relaxation, joint à un état d'éveil

psychique. Le cœfficient métabolique a tendance à baisser, ainsi que les rythmes cardiaques et respiratoires. Le modèle de la réponse physiologique à la méditation diffère du sommeil ou de l'hypnose. L'état physiologique procuré par la méditation apparaît comme l'opposé de celui provoqué par la colère ou la peur. Techniquement, il semble que la méditation suscite un état hypermétabolique, qui est tout à fait à l'opposé de l'état de défense alarmé décrit par W.B. Connan lorsqu'il analyse l'état physiologique correspondant à la réaction «fuir ou combattre».

L'abaissement du cœfficient métabolique, la diminution de la consommation d'oxygène et de la production de gaz carbonique jouent un rôle central dans la réponse physiologique de la méditation.

«Le pourcentage de lactose dans le sang diminue sensiblement durant la méditation, près de quatre fois plus vite qu'il ne le fait chez des sujets qui se reposent calmement allongés, dans la tranquillité et la sécurité. La présence de lactose dans le sang est en relation avec l'anxiété et la tension, aussi est-il vraisemblable que la faible quantité trouvée chez des sujets en méditation est due à leur état physiologique de relaxation.»

«La résistance de la peau à un faible courant électrique est connue depuis longtemps comme étant liée de très près, chez tous les individus, à la présence de tension et d'anxiété. Plus il y a de tension et d'anxiété et plus faible est la résistance de la peau. Pendant la méditation, la résistance de la peau augmente, parfois de 400 %. Le rythme cardiaque a tendance à ralentir. Quelques modifications sont aussi observées dans le relevé électro-encéphalographique. Le plus souvent, on rapporte une augmentation du nombre d'ondes alpha lentes (huit à neuf par seconde).

Dans l'hypnose, le cœfficient métabolique ne change pas. Durant le sommeil, la consommation d'oxygène ne décroît appréciablement qu'après plusieurs heures, et la diminution est plutôt due à un ralentissement de la respiration qu'à une modification du cœfficient métabolique global. Pourquoi notre corps répond-il de cette façon durant la méditation? Notre ignorance est encore immense, même si la recherche entreprise va combler certaines lacunes. Toutefois, un facteur semble lié à l'aspect fondamental de la méditation: c'est la concentration sur une seule chose à la fois. Les signaux auxquels doit répondre notre corps sont plus simples et plus cohérents pendant la méditation qu'en presque toute autre circonstance...

«Cela a un effet positif sur notre corps, qui manifeste une forte tendance à normaliser ses réactions, à se comporter physiologiquement de façon plus détendue et plus saine. La tension est réduite, les indications d'anxiété s'estompent, le cœfficient métabolique physiologique décroît et la conscience connaît un état d'éveil.»

On peut méditer aussi dans la plupart des gestes qui occupent le quotidien. Il s'agit alors d'une attitude de l'esprit, d'une concentration sur chaque acte.

Pour le dictionnaire Larousse, méditer consiste à faire un examen intérieur, une réflexion. Toutefois réfléchir est une chose, méditer une autre. Disons qu'on pourrait parler de présence attentive. Et dans cette présence même, un univers infini se dévoile peu à peu, le **nôtre**: Connais-toi toi-même et...

Chapitre 6

Comme promis, je vais vous donner une recette plus personnelle de méditation. Je trouve que les grandes techniques sont assez compliquées et peuvent décourager le débutant qui veut essayer par lui-même, sans maître. Personnellement, je suis un peu contre les gourous ou «gurus», car si l'on veut la liberté par la méditation, si l'on veut se sentir bien, si l'on veut réapprendre le moment présent sans entrave, et puiser à l'intérieur, il ne faut pas, selon moi, être au service d'un maître humain qui nous enchaîne, dans une secte ou une religion. Pourquoi changer les églises pour les gourous? On se retrouve dans la même situation puisque c'est seulement le nom qui change. Je pense que nous pouvons développer la capacité de méditer par des lectures et en puisant à l'intérieur de nous où toute l'énergie dont nous avons besoin est à notre disposition.

La méditation est la chose la plus simple au monde, même si elle semble mystérieuse et souvent effraie. Plusieurs récits en font état. Les grands gourous, pour garder leurs disciples, enseignent qu'il faut avoir un maître, pour mieux contrôler la situation. La méditation c'est naturel et nous n'avons pas besoin de maître pour boire, manger, dormir!

Dans ma recette personnelle de méditation, je vais vous parler d'auto-hypnose. C'est un mot qui fait peur à bien des gens et pourtant plusieurs s'en servent à chaque jour, pour réussir un examen, pour se convaincre de remporter une victoire. L'auto-hypnose c'est très semblable à l'hypnose, mais au lieu de parler à une autre personne, on se parle à soi-même pour mieux se mettre en condition de se relaxer. L'auto-hypnose peut être un instrument très utile dans la vie quand on doit se surpasser. On peut dormir 4 à 6 heures en 5 à 10 minutes. Je l'ai fait à plusieurs reprises. Si vous êtes sur la route et que vous vous endormez, elle peut vous être d'un grand secours.

Je vais vous raconter une courte anecdote. J'ai utilisé cette technique l'an dernier au mois d'octobre, pour faire un travail urgent. J'avais un magasin d'encadrement à Mont-Joli que je devais fermer et dans le même mois Ghislaine devait faire rénover et agrandir son salon de coiffure. Durant la même période, un restaurant dont j'avais repris possession avait également besoin de rénovation. Une dure année où tout allait de travers. Les dates de réouverture étant prévues, je n'avais réellement pas le choix. Il fallait travailler, Ghislaine et moi, jusqu'à 20 heures par jour, de façon intensive, pendant une longue période, tout en étant pas trop fatigués. À toutes les 4 heures, je m'arrêtais durant 10 minutes.

Je me détendais quelques secondes et après je prenais 10 grandes respirations assez profondes, tout en les comptant soigneusement pour que mon attention ne se porte pas sur autre chose. Lorsque je sens que mon attention est bien arrêtée (je peux le faire deux ou trois fois avant d'y arriver), ensuite, je me répète plusieurs fois que quand je compterai jusqu'à 10, je serai reposé comme si j'avais dormi six heures. J'aurai la même sensation de repos, mes muscles seront détendus complètement; ce sont les muscles tendus qui font que l'on se sent fatigué.

Je continue en commençant à compter; il faut être convaincu et convaincant. Je me répète: quand je dirai «1» j'aurai dormi, je serai reposé comme pour une demi-heure de sommeil; à «2», je suis reposé et je dors une autre demi-heure. Je continue comme ça jusqu'à 8 et à 9 et 10, je me répète encore, je suis reposé et je dors une heure de plus.

Je l'ai essayé souvent et selon ma conviction, cela a fonctionné. Je ne conseille pas de le faire chaque jour, mais ça peut dépanner dans les moments difficiles. Cela nous permet de travailler avec goût tout en étant moins fatigués sur les fins de journées et dans les occasions spéciales.

Je vous ai parlé de ces événements pour vous faire comprendre combien nous sommes pleins de ces pouvoirs naturels. À partir de cet exemple, vous pouvez mieux voir comment l'auto-hypnose peut être salutaire quand nous débutons en méditation.

Je ne suis pas un adepte de la méditation, je la fais au besoin, 2 fois par jour, pas plus de 20 minutes. Si l'on fait de la méditation c'est pour se sentir libre et non pour «s'encarcanner» dans un autre horaire comme le 9 à 5 ou dans toute autre contrainte que nous pouvons vivre. J'emploie surtout la méditation quand j'éprouve de l'angoisse, du stress ou de l'insécurité, quand je ne me sens pas très bien dans ma peau, ou quand je suis fatigué ou déprimé. Jamais la méditation ne m'a déçu et elle m'a toujours rendu heureux.

Aujourd'hui, le 26 mai 1989, j'ai fait deux périodes de méditations. Ces derniers jours, je m'étais négligé. Je travaillais fort et je n'en sentais pas le besoin. Depuis une quinzaine de jours, j'ai pris l'habitude de peindre un tableau avant déjeuner. Ce matin, en me levant, je me suis rendu près de mon chevalet, j'ai pris ma spatule et j'ai senti que je n'y arriverais pas. Hier, j'ai raté un tableau parce que j'étais trop fatigué, je crois. Au lieu de peindre tout de suite ce matin, je me suis assis à mon bureau, dans l'atelier, mon endroit préféré pour méditer.

Il est 8 heures et c'est le moment idéal, c'est tranquille dans la maison. Les enfants sont partis à l'école et Ghislaine est levée; souvent pour elle, c'est aussi le temps de faire sa méditation. Le Centre n'ouvre qu'à 9 heures et il est trop tôt pour que le téléphone sonne. Je m'assois donc, mes pensées n'en finissant plus de tourner dans ma tête, je ne réussis pas à me concentrer. Quand tout se passe bien, je ne fais pas l'exercice de l'auto-hypnose, mais ce matin il faudra prendre les grands moyens sinon je vais me décourager.

Je commence donc par prendre 10 grandes respirations tout en comptant soigneusement. Si mes pensées se dispersent vers autre chose, je recommence jusqu'au moment où j'y arrive parfaitement. Je commence à me sentir un peu détendu mais mon mental me dit, arrête, va déjeuner, mais je résiste. Je continue de combattre, il faut que je me calme. Je commence par me détendre le pied droit, le mollet, le genou. Je continue et je répète encore les parties du corps, du côté droit, ensuite le côté gauche. Si je suis distrait, je recommence à nouveau. Je porte une attention spéciale à mon cœur. Je lui demande de ralentir; je détends mon estomac. Je le répète souvent. Je sens mes mains, mes pieds qui s'engourdissent peu à peu et ce n'est pas désagréable. J'arrête de penser à mes muscles et à mon corps. Maintenant, ce sera le tour de ma tête plus spécialement. J'essaie de me concentrer en répétant mon mantra, sur le point entre les deux yeux que les mystiques appellent le troisième œil. Le mantra est en général un mot qui ne veut rien dire pour moi. Par exemple: shaman. En répétant ce mot, cela éloigne toute autre pensée qui pourrait me distraire.

Je veux vous expliquer aussi que, dans les pages précédentes, lorsque l'auteur cité parle de l'objet de la méditation, cela peut être un objet que l'on regarde au début, mais ce n'est vraiment que pour quelques instants. Après, l'objet de la méditation peut vouloir dire le mantra, un but, où l'on peut s'imaginer les yeux fermés, une rose par exemple; plusieurs s'en servent pour méditer. On peut aussi méditer sur une expression comme «ici et maintenant», mais c'est à mon avis moins efficace puisque cela peut faire naître des idées de mise en situation, et les pensées recommenceront à jaillir de plus belle.

Je reviens donc à mon mantra. Je répète shaman, shaman. Je ne sais pas pourquoi ce mot produit sur moi un effet d'apaisement, mais malgré cela, mes pensées s'égarent à nouveau. Je dois combattre un peu. Je reviens à mon mantra. Je sens une chaleur dans mon cœur et je laisse aller un grand soupir comme un enfant qui a eu de la peine, avant de s'endormir. Pour moi, c'est le signal que j'ai atteint un stade de bien-être. J'arrête complètement de répéter mon mantra. Je veux goûter à chaque moment d'euphorie. Je ne sens plus mon corps.

Essayez d'imaginer la dernière fois où vous vous êtes senti bien et que vous aviez envie de crier votre joie. C'est un bonheur que l'on peut s'offrir à volonté si l'on est un peu patient. Il se produit occasionnellement des phénomènes en méditation mais il ne faut pas les attendre, ce n'est pas le but, il faut les accepter. Quand j'atteins un certain niveau et que je crois avoir réussi ma méditation, il y a comme un gros projecteur qui s'allume, grossit et puis s'éteint. Ça occupe entièrement l'esprit et ça rend moins difficile la concentration, mais ces phénomènes sont très personnels.

Je me laisse donc porter par cette extase. Je voudrais rester là longtemps mais lentement les pensées réapparaissent, j'émerge de cette dimension, et je reprends conscience de mon entourage. Je me suggère que dans quelques minutes, j'ouvrirai les yeux. Je commence à bouger mes mains et mes pieds. Je ressens un peu de lassitude mais une grande détente. Il faut retourner travailler. Ce sera une journée exceptionnelle.

En me relevant, je regarde ma toile et j'ai maintenant très envie de peindre. Auparavant, je déjeunerai et goûterai ce **moment présent** qui est de «savourer» mon café au lait.

Chapitre 7

Nous sommes depuis quelques jours à notre plaisant petit camping à Bucerias. La vie est belle et le temps toujours radieux, pas de pluie depuis la frontière. Chaque jour, je repars avec mon sac à dos pour aller peindre.

Aujourd'hui j'accepte que Guillaume vienne avec moi; demain, ce sera Philippe. Comme les jours précédents, je m'assois toujours à la même table. Le «petit serveur» me reconnaît maintenant, il me sourit. Je sens qu'il est content de me voir. Je lui présente Guillaume, mon «nino» et comme tous les jours il me sert ma cerveza et un coca pour Guillaume, comme disent si bien les Mexicains. Nous bavardons un peu et au même moment une jeune vendeuse d'environ 14 ans vient nous dire bonjour. Elle s'intéresse beaucoup au Québec et me pose plusieurs questions concernant la quantité de neige, si la température est froide... Lorsque nous ne comprenons pas, je sors le dictionnaire, et elle aussi essaie de chercher des mots. Souvent ils ne savent pas lire ou ne comprennent pas la façon d'utiliser le dictionnaire. J'essaie de leur expliquer.

Après tous les bonjours d'usage, le rituel de sortir tout l'équipement recommence. Je n'avais pas remarqué qu'à l'autre table prenaient place deux Mexicains. L'un deux était costaud, genre gros bras québécois et ressemblait à un tueur à gages comme on nous les présente dans les films. Cela m'a surpris, en général les Mexicains sont très petits. L'autre était couché dans le sable. Ils avaient chacun une bière à la main et sur la table quelques autres étaient déjà vides.

J'entreprends donc de peindre par imagination, lorsque j'aperçois, ancré loin de la rive, un bateau assez gros genre pêche haute mer. Je décide donc que cela me ferait un bon sujet de tableau que je pourrais rapporter au Québec. Même en vacances, je pense un peu boulot. Les tableaux représentant des bateaux se vendent bien et sont très agréables à peindre. Je débute mon travail par un dessin. À l'huile, je ne fais pas de croquis, mais l'aquarelle demande plus de précision puisqu'après que c'est démarré, on ne peut plus changer grand-chose.

J'applique une première couche de couleur, Guillaume sourit: Il me dit que le voisin de table s'intéresse à mon travail. Je me retourne, il me sourit à son tour et fait signe de la tête que ça ne ressemble pas au modèle. Je le laisse faire, quand tout à coup le serveur arrive avec une bière et un coca, c'est notre voisin qui nous l'offre. Je lui envoie un «gracias». Je continue et il se lève pour mieux voir et branle la tête. Il commence à trouver que ça ressemble au bateau, à son bateau, comme il m'explique. Il est pêcheur de crevettes (camerones).

Au bout d'une demi-heure, il nous paie une autre cerveza et un autre coca. La bière on peut en boire trois ou quatre, mais Guillaume n'a plus soif, mais l'accepte tout de même, il la boira bien! Avez-vous déjà vu un enfant refuser une boisson gazeuse? Comme je suis en train d'achever mon travail, il se lève et tout surpris, il trouve que ça ressemble vraiment à son bateau. Il la montre à son ami, il veut l'acheter à tout prix. Je lui fais comprendre que ce n'est pas à vendre. Comment vendre une aquarelle à un Mexicain; même quatre fois moins cher qu'au Québec, c'est encore trop cher pour eux. Il insiste mais je lui fais signe que non. Il me montre son bateau, me parle de «camerones»; je suis incapable de saisir ce qu'il me dit.

Durant ce temps, un groupe de personnes de l'âge d'or qui venait du Québec arrive accompagné d'un guide, une jolie fille d'une vingtaine d'années, qui parle très bien l'espagnol. Je lui demande de faire l'interprète; elle me dit qu'il voulait m'inviter sur leur bateau pour me faire goûter à leurs crevettes. Si c'était à refaire, je dirais sûrement oui, mais j'ai dit non parce que j'avais encore un peu peur. Je déteste me mettre dans des situations où je perds le contrôle. Dans ce temps-là, si je dis oui, je ne me sens pas rassuré, et si je dis non, les gens sont insultés. Pour lui, il me faisait tout un honneur. Je l'ai beaucoup déçu et il ne comprenait pas.

Quand j'ai constaté que ça lui faisait autant de peine, je me suis approché de lui et je lui ai demandé son nom. Il me répond, Fernando. J'écris sur l'aquarelle «Para Fernando» de Marcel Gagnon et je lui tends le tableau en lui disant que c'était un présent. Il était vraiment heureux mais là, il voulait que j'en fasse une pour son ami. J'ai refusé gentiment en lui disant qu'il fallait que je m'en aille. Le temps que je range toutes mes affaires, il était déjà parti. Cela m'a étonné qu'il ne me dise pas bonjour. Enfin, je décide de retourner au camping mais je vois bien que ça bouge près du bateau de pêche du côté avant.

Un homme vient à la course vers nous et nous dit que Fernando va revenir avec des «camerones». Une petite barque se rend au gros bateau de Fernando pendant que l'homme nous entraîne sur la terrasse d'un autre restaurant qui se trouve également le long de la place. Il y a plusieurs hommes, tous assis autour d'une grande table étroite, qui nous attendent. Encore de la cerveza pour moi et du coca pour Guillaume et il ne faut pas refuser, c'est Fernando qui nous l'offre. L'homme nous présente les gars qui sont en fait tous les membres d'équipage de Fernando. Le capitaine est assis au bout de la table. Ça rit et nous ne comprenons pas grand-chose de ce qu'ils disent, ils parlent tellement vite.

Guillaume me regarde et je regarde Guillaume. Je lui fais signe que nous quittons. Ça fait une demi-heure et il ne s'est

rien passé. Je me lève prêt à partir, et tous les gars se lèvent, et celui qui est le plus près de moi me fait comprendre qu'il ne faut pas partir. Fernando va revenir avec les «camerones». Je décide de rester. Je n'avais pas le choix, ils se montraient si heureux d'être mes hôtes.

Tout à coup, nous apercevons une petite embarcation qui approche et accoste. C'est Fernando qui revient avec dans ses mains une grande casserole recouverte d'un papier d'aluminium. Il nous salue et demande à la serveuse, qui est en l'occurence une mère de famille d'une quarantaine d'années, sourde et muette mais qui comprend tous leurs gestes, de nous apporter des assiettes. Un des marins, un habitué de la place, ouvre la casserole, prend une assiette et me sert trois ou quatre crevettes. Vous allez me dire seulement quatre crevettes, mais si je vous dis qu'elles avaient au moins 15 à 20 centimètres de long (6 à 8 pouces), tout ça cuit dans du bacon mexicain. Je pense que je n'ai jamais rien mangé d'aussi bon de ma vie. Je regrette de ne pas avoir eu davantage faim. J'imagine tout le mal qu'il s'était donné pour me faire goûter à ses crevettes.

Fernando est pêcheur et il partait pour un mois sur la mer. Il travaille en moyenne six mois par année. J'aurais bien apprécié le revoir mais à son retour, je serai reparti. Peut-être... l'année prochaine. Cette journée a été marquante pour nous, de voir combien pour eux c'est important un invité. J'ai constaté que les Mexicains sont très heureux s'ils s'aperçoivent qu'on les traite en égaux. Et si nous faisons exception de l'aventure avec les douaniers à la frontière, nous ne nous sommes jamais sentis exploités durant ce voyage.

Comme je vous l'ai dit au début de ce livre, j'ai préféré emmagasiner en moi mon vécu durant ce voyage et n'écrire qu'à mon retour à la maison. C'est donc à Sainte-Flavie que j'écris ce récit et tout à coup le désir me vient de partager avec vous ma vie ici, celle des gens qui m'entourent et celle du Centre d'Art. Je vous parlerai plus fréquemment de mes pensées, de mes émotions, de mes réussites et des problèmes de la vie courante.

Avant de poursuivre, je vous offre ce poème:

AS-TU DÉJÀ

As-tu déjà souffert ou aimé en silence
As-tu déjà perdu, quand tu étais sûr de gagner
As-tu déjà subi la pauvreté de toi-même
As-tu déjà aimé sans retour
As-tu déjà souri en même temps que pleuré
As-tu déjà été écrasé par une fausse joie
As-tu déjà eu mal d'avoir été méchant
As-tu déjà été déçu parce que ton amour s'était éteint
As-tu déjà regretté et pardonné ton passé
As-tu déjà vécu ton avenir en oubliant le présent
As-tu déjà essayé d'être heureux pour l'autre
As-tu déjà été malheureux pour les enfants du monde
As-tu déjà réussi ce que les autres pensaient impossible
As-tu déjà été réveillé par un désir d'amour
As-tu déjà désiré prendre ton cœur dans tes mains
As-tu déjà pu être ce que tu es vraiment
As-tu déjà écouté le ciel et les nuages
As-tu déjà lu le vent qui souffle en toi
As-tu déjà osé le dire aux autres
Merci de m'écouter

Marcel Gagnon

Hier, un client me posait des questions sur ma recherche spirituelle — parmi les livres que j'avais lus, lequel m'avait le plus marqué? Je pense que chacun fait très personnellement sa démarche. Moi, par exemple, je crois bien que jusqu'à 37 ans, je ne m'étais jamais posé la question. J'étais en santé physique, le mental suivait. Souvent, je m'étais senti mal dans ma peau, mais c'est comme si je n'en étais pas conscient. Je croyais presque que c'était normal. Je ne m'interrogeais même pas là-dessus. Bon nombre de personnes ont leur remise en question, plus ou moins à cet âge. Je me disais, j'ai presque la moitié de ma vie de passée — qu'est-ce que je fais de la deuxième partie?

J'ai commencé à lire un peu. Je ne l'avais jamais fait ou presque. Mon intérêt s'est porté sur des livres genre «Krishnamurti» que je ne lisais pas entièrement, seulement quelques passages. Pour me guérir ou me soulager de mon angoisse, je me suis intéressé à l'auto-hypnose. J'ai voulu faire du sport et à 38 ans j'ai couru le marathon de Montréal. J'ai voyagé, pensant que je serais mieux dans un autre pays. Bien sûr, je m'emmenais toujours avec moi.

C'est un voyage en France qui m'a le plus appris. J'ai découvert que le mal était en dedans, que j'étais responsable de moi. Je me suis ensuite intéressé à la méditation, pour aller justement en dedans. J'ai créé une œuvre qui me semble assez importante: «Le grand rassemblement». J'ai pratiqué l'acceptation des autres et le détachement; c'est très difficile le détachement!...Quand j'étais plus jeune, j'étais amoureux de Ghislaine, mais pas gratuitement. Il fallait d'abord qu'elle m'aime, et moi après je le lui rendais. Je voulais sentir qu'elle m'appartenait. J'étais jaloux et possessif. Tout était conditionnel. Avec les années, j'ai compris qu'aimer n'est pas posséder (j'en suis conscient en tout cas...).

SEMEZ LE DÉTACHEMENT, VOUS RÉCOLTEREZ DE L'AMOUR

Ensuite, je me suis intéressé au voyage astral. J'ai pratiqué jusqu'à devenir capable d'en faire. J'ai atteint la possibilité, j'ai eu peur et je suis revenu sur cette bonne vieille terre où nous vivons et mangeons. Vous savez, pour accepter de voyager astralement, je crois qu'il faut être très bon et très pur. Il faut accepter de mourir, d'ailleurs, les maîtres hindous disent qu'ils meurent chaque jour pour mieux vivre. L'aide, dans ma recherche d'éveil, me vient de toutes parts: les enfants sont un exemple de même que les personnes âgées; elles prennent le temps d'avoir le temps, elles font tout instinctivement, elles se donnent à part entière, sans compter. La nature m'aide grandement à comprendre les choses qui sont en accord avec nous. Les animaux sont importants aussi; ils me rappellent les grandes lois de notre nature. Je relie grandement l'art avec ce moment présent que tout le monde cherche.

Cette longue recherche sur la spiritualité mène à une vérité profonde. J'ai fait un «grand tour» pour m'apercevoir qu'il n'y avait rien à comprendre. Tout est là à l'intérieur, tout est là en notre présence. Savourer son café, laver son plancher, faire un sourire, aimer, créer, aller à l'école, être conscient de ce qu'on fait, ne plus vivre dans le passé, ne plus dépenser tout son temps à organiser l'avenir, pratiquer le détachement pour ne plus souffrir inutilement, avoir confiance en Dieu et croire que tout va être pour le mieux, s'abandonner à cet instant. Avez-vous déjà remarqué que lorsque vous acceptez une situation, elle est moins douloureuse. Avec l'acceptation, on peut vivre le moment présent avec sérénité et bien-être.

J'aimerais aller plus loin dans ma comparaison entre la recherche intérieure et la compréhension de l'art. Vous savez, les enfants sont de grands artistes parce qu'ils font tout avec leur intuition. Cette société qui nous dicte tout ce que nous devons faire ne les a pas encore modelés à son image. Quand ils sont petits, les enfants ne l'ont pas encore intégrée. En vieillissant, ils commencent à réfléchir et réagissent selon le monde qui les entoure.

POUR ÊTRE ORIGINAL IL FAUT SACRIFIER QUELQUE CHOSE DE DÉJÀ ÉTABLI PAR LA SOCIÉTÉ

L'art, c'est un peu la même chose. Quand nous commençons à créer à l'âge adulte, nous créons ce que la société nous a appris; nous ne sommes pas capables d'être originaux, car nous ne voulons rien sacrifier de ce que nous savons. En prenant de l'âge, nous allons à l'école de l'art, de la technique et des mélanges de couleurs; nous remplissons notre vase intérieur. Nous faisons le «grand tour» comme en spiritualité. Nous cherchons, nous copions, nous nous posons des questions et nous avons peur de ce que l'on va dire de nous. L'ennemi numéro un en art ce sont les parents, les amis. Leur démarche est basée sur leur goût personnel, c'est normal, ils ne font pas d'art. Ils aiment selon ce que la société leur a montré comme étant beau. Au début, ce n'est pas toujours parfait, nous continuons à chercher, nous nous inventons un style, nous nous cherchons jusqu'au jour où nous nous rencontrons, comme en spiritualité. Il n'y a rien à trouver. Alors, maintenant nous pouvons créer sans forcer, sans se fatiguer, même sans réfléchir; cela devient une seconde nature.

J'ai maintenant fait en art des choses très précises et très difficiles techniquement. Quand je me laisse aller, je n'ai plus à me trouver un style. Je n'ai plus à réfléchir, c'est comme un comportement qui fait partie de moi. Est-ce que l'on pense à toutes les fois qu'on avance un pied ? Est-ce qu'on pense à respirer ? Tout devrait arriver naturellement. Laisser faire le hasard qui n'en est pas un. Si la terre que tu sculptes craque, laisse-la craquer. Si ton pinceau tourne vers le rouge, peins en rouge et si le vent te pousse à l'est, va à l'est; laisse ton intuition te guider, ne va plus contre. Si tu peux faire cela tu es un artiste; les plus grands naïfs sont généralement de grands artistes.

Je vais vous raconter une courte histoire pour mieux vous faire saisir mon point de vue. J'ai un ami qui a une galerie à Québec et un jour que je parlais avec lui, il m'amène dans une pièce pas très grande, et me montre de petites sculptures faites de morceaux de bois, de bouts de cordes et de toutes sortes de choses que nous jetons et brûlons d'habitude. Il me demande:

— «Qu'en penses-tu, Marcel?

J'ai été traversé d'un long frisson et je lui ai dit:

— Qui a fait ces merveilles? Je trouve ça encore meilleur que du Picasso.»

Il me raconte que c'est un homme retraité qui fabrique ça dans son sous-sol; il ne connaît rien en art, il fait ça pour s'amuser et il n'est pas en compétition avec personne. Il n'a pas à les faire selon un modèle que notre société lui dicte, il les fait pour se faire plaisir. Son épouse lui dit souvent: «Tes cochonneries, tu peux les laisser au sous-sol! Je ne veux pas voir ça dans mon salon.»

Mon ami en avait acheté quelques-unes pour sa galerie. Je crois qu'il les avait payées 8 dollars/pièce. Un jour, en faisant un voyage à New York, il a la surprise de sa vie quand il aperçoit les sculptures du monsieur à 1 000 dollars/pièce.

Il me fait le récit de cette histoire avec émotion et je lui demande tout de suite:

— J'espère que tu ne lui as pas dit?

Il me dit non. Je pense que s'il le savait, il ne serait plus un grand artiste, car il essaierait d'améliorer son œuvre pour qu'elle soit encore plus belle et qu'elle vaille 1 000 dollars.

C'est une excellente leçon pour mieux comprendre ce qu'est l'art. Si nous pouvions nous imaginer à quel point c'est simple! ...nous serions tous de grands artistes; mais c'est très exceptionnel de ne pas faire le «grand tour»; seulement quelques privilégiés y arrivent, sans le savoir.

Aujourd'hui le 31 mai, c'est ma fête. J'ai maintenant 44 ans. Je me posais la question: «Qu'est-ce que ça voulait dire pour moi?» C'est sûr que j'ai lâché un grand soupir, que pour quelques secondes, je me suis senti un peu triste. Ce matin, je serais resté couché. J'étais tellement bien dans mon lit. Ghislaine, en se réveillant, m'a donné un petit bec sur le bras en me souhaitant bonne fête. J'avais le goût de partager mon déjeuner avec ma compagne de vie. J'avais le goût de travailler, de faire quelque chose de cette journée. Je me suis dit: «Qu'est-ce qu'on fait une journée de fête ?» On s'en va flâner à Rimouski, on se paie un bon dîner, on fait la fête! Eh bien, j'ai choisi ce matin de travailler mais de faire une chose parmi celles que j'aime le plus.

J'avais le choix entre faire de la peinture, écrire, faire de la maçonnerie, faire de l'aquarelle, faire du laminage, travailler dans mon sous-sol à faire des encadrements, terminer l'enseigne pour le salon de coiffure de Ghislaine, travailler dans mes papiers de commerce (surtout pas ça un jour de fête!), faire la cuisine, faire le ménage... Mon choix s'est porté sur la maçonnerie. Je suis en train de me fabriquer une enseigne pour le Centre d'Art, toute en pierre des champs. J'ai passé une bonne partie de ma journée de fête à jouer avec des cailloux. J'ai essayé de savourer ces moments si précieux quand on se sent bien. J'ai pris le temps de m'intéresser au son que fait la spatule sur le ciment. J'ai pris le temps de regarder la mer qui était très spéciale avec sa brume une partie de la journée.

Une madame anglaise s'est arrêtée pour photographier les environs pendant une heure; elle est venue me féliciter. Je lui ai demandé si elle le faisait pour son plaisir. Elle m'a répondu que c'était pour des journaux. Je lui ai donné mon adresse pour qu'elle m'envoie une copie de l'article.

Trois de mes sœurs m'ont appelé pour me souhaiter «bonne fête». À 15 heures, je suis rentré me laver et aussitôt propre, je me suis dirigé vers Sainte-Luce. Il est 16 heures 30 et c'est de cet endroit, stationné près de la baie, que j'écris ces quelques lignes. Dans quelques minutes, je dois retourner à la maison, où toute la famille sera là pour le souper. Il paraît qu'ils m'ont organisé une fête surprise. J'espère qu'il n'y aura pas trop de clients au Centre d'Art, car ce soir, je travaille avec Raymonde, notre nouvelle cuisinière.

Chapitre 8

Ça doit faire deux semaines que nous sommes à Bucerias. Durant ce temps, nous avons connu un monsieur et une madame de Colombie-Britanique qui parlent très peu le français, un peu l'espagnol et surtout l'anglais. Nous venons tout de même à bout de communiquer nous servant quelquefois des trois langues dans une même phrase. Le monsieur fait de l'aquarelle comme peintre amateur. Il en a peut-être une vingtaine de faites. Il était très content lorsqu'il a su que j'allais peindre chaque jour et que je lui offrais de venir avec moi. Ils sont à leur retraite mais possèdent encore sept magasins situés un peu partout au Canada, dont un à Chicoutimi. Ils voyagent avec un gros motorisé et une petite auto qu'ils traînent derrière. Il veut que nous prenions son auto pour aller plus loin, pour mieux découvrir les environs.

Nous décidons donc de nous rendre à un autre village connu, surnommé la «Crousse» (la croix). C'est vraiment le village de pêcheurs le plus important de la région. Il y a un port de mer où les crevettiers peuvent accoster. Des voiliers s'y trouvent en grand nombre, même du Québec et de quelques autres pays.

Pour s'y rendre, il faut quitter la route principale et ce n'est pas très loin, environ 10 kilomètres. À l'intersection, j'ai eu vraiment peur. Tout à coup nous nous apercevons qu'il y

a un gros embouteillage, des autobus sont arrêtés. L'armée
est partout: une cinquantaine de soldats avec mitraillettes et
fusils. Ils font sortir les passagers, leur font mettre les mains
en l'air, les fouillent, ouvrent le coffre des autos. Nous nous
croirions en plein film de fiction, mais ce n'en est pas, c'est
réel; nous sommes vraiment là. Je n'ai aucun papier sur moi.
J'ai tout laissé à Ghislaine dans le motorisé où ils étaient plus
en sécurité.

Je me tourne pour constater que mon ami au volant est
très nerveux. C'est la première fois que ça nous arrive, mais
nous en avions entendu parler. Nous avançons tranquillement et nous arrivons à un premier soldat tout habillé d'un
costume de camouflage kaki. Il nous fait signe très énergi-
quement de nous ranger de côté; il n'est pas doux, il doit se
passer quelque chose de grave. Je me souviens que le matin,
des hélicoptères patrouillaient dans le coin.

Un autre soldat, d'un mouvement de la main, nous
indique d'avancer. Nous voulons tourner à l'intersection.
Nous roulons quelques mètres et nous coupons la circulation. À cause de la nervosité de mon compagnon d'infor-
tune, je suis très inquiet. S'il fallait qu'il panique et qu'il
veuille se sauver. Je ne connais pas ses réactions. Nous pro-
gressons toujours plus et personne ne nous a encore
fouillés.

Plus loin, un troisième soldat nous regarde. On dirait
qu'il se demande qu'est-ce que nous faisons là. Il y a
confusion et pensant que nous avons été fouillés, le soldat
nous envoie au dernier qui, lui, nous fait passer sans autres
formalités. Je regarde en arrière plein d'incertitude. J'espère
qu'ils ne pensent pas que nous prenons la fuite parce que
nous avons traversé tous ces obstacles sans être questionnés.
Nous nous éloignons d'eux et ils semblent indifférents à
notre départ. Nous n'avons jamais su pourquoi ce fameux
barrage! En tout cas, c'est toute une expérience à vivre
quand on est dans un autre pays et qu'on ne connaît pas la
mentalité des gens.

Après ces émotions, nous avons peint au village de la «Crousse» et dans l'après-midi, nous nous sommes rendus à un village de pêcheurs situé un peu plus loin, à la Pointe-à-Mita. Un petit paradis où l'eau est émeraude, avec d'imposants rochers au large et des bancs de corail. Il y en a tellement que le sable et les minuscules roches rondes qui composent la grève habituellement sont remplacés par des tonnes et des tonnes de corail en morceaux. Il y a de nombreux oiseaux et les maisons, aux toits de chaume et côtés de bambou, sont très rudimentaires. C'est vraiment le village le plus typique que j'ai vu de tout le voyage. Peu de touristes connaissent ces endroits. Si l'on a que 15 jours pour visiter le Mexique, on manque beaucoup de ce pays, surtout si l'on y vient en avion et que l'on loge dans un hôtel. C'est tellement merveilleux et enrichissant de découvrir les particularités de ce pays et de ses habitants.

Je remarque que les Mexicains, comme les gens qui vivent dans tous les pays pauvres, ont une force spirituelle supérieure à la nôtre, du fait qu'ils ne s'attachent pas au matériel puisqu'ils n'en ont pas. L'important pour eux, c'est la famille et les traditions. Nous avons une leçon à tirer de leur attitude; eux, ils ne pensent qu'au jour le jour.

COMMENT NE PAS CROIRE QUAND D'UN SEUL COUP DE VENT, DES ARBRES S'ARRACHENT

J'ai donc fait deux aquarelles aujourd'hui. Malgré les émotions du matin, ce fut une excellente journée. Nous recommencerons demain et nous essaierons de découvrir un autre endroit.

Comme chaque soir, le rituel du souper recommence; c'est notre moment favori pour nous réunir toute la famille. À titre d'expérience, pour clôturer la fin de ce jour inoubliable, ce soir je ferai ma méditation dehors, avec le bruit des vagues. Il est 21 heures, c'est très calme dans le camping; je m'assois près du mur qui surplombe la mer et j'entends les vagues qui frappent avec force et qui se cassent dans le calme du soir. C'est très impressionnant! Je regarde dans l'écume blanche qui apparaît dans le noir. Au loin, vers la droite, je vois quelques lumières du village de la «Crousse»; à ma gauche, c'est Puerto Vallarta, très éclairée avec des milliers de scintillements qui délimitent les contours de la baie. Quelques bateaux, qui se différencient des autres à leurs lumières de couleur, sont ancrés au large. Le spectacle est grandiose, le ciel est clair et rempli d'étoiles. Que je suis bien! Les nuits étant fraîches, je me suis apporté un bon chandail. Le soir dehors, habillé chaudement, c'est tellement agréable!

Je ferme momentanément les yeux, mais avec peine, le spectacle est si beau! Je me concentre sur la vague pour me rendre compte qu'à toutes les sept ou huit vagues, il y en a une grosse qui se casse vraiment. Parfois, on dirait d'un coup de fusil. Je me concentre de plus en plus. Je me détends. Je deviens tellement conscient de la présence des vagues que même les plus petites me font vibrer. Plus ça va, moins je suis capable de les supporter, surtout les plus grosses. Je suis tellement réceptif que ça me fait plutôt mal; ça me pénètre de bord en bord. Je cesse doucement l'expérience, c'est trop d'énergie qui entre en moi à la fois. Ça ne me détend pas, mais au contraire, on dirait qu'à la longue ça pourrait me créer du stress. J'essaierai peut-être une autre fois lorsque la mer sera plus douce. Ce soir, elle est très vigoureuse.

Ghislaine vient me rejoindre et nous décidons d'aller marcher dans les alentours. Nous sommes tellement bien ensemble — ce sont des moments privilégiés importants.

SAVEZ-VOUS POURQUOI LES GENS ONT PEUR DE NOUS DONNER LEUR AMOUR, C'EST QU'ILS ONT PEUR QU'ON SE SERVE DE CET AMOUR POUR PROFITER D'EUX

Cette nuit, j'ai rêvé à un ami que j'ai connu à Carleton, un poète-monologuiste, du nom de Pierre Bertrand. Avant que vous me posiez la question, ce n'est pas le chanteur, mais c'est un grand artiste dans son genre. Il y a quelques années que je ne l'ai pas vu. Il demeurait à Grande-Rivière en Gaspésie, je crois. Je suis même allé peindre son camp en bois rond où il vivait. Il m'a donné un poème remarquable qui m'a beaucoup impressionné. Je l'ai lu et relu à plusieurs reprises. Je l'ai affiché au Centre d'Art où de nombreux clients le lisent et vibrent. Je vous en fais cadeau et je dis merci à Pierre.

L'HOMME

Si tu sais trouver le passage
entre le silence et le bruit
entre le dehors et le dedans
entre le rire et les larmes
entre l'amour et la haine
entre la nuit et la lumière
entre la vie et la mort
Oui homme
si tu trouves ce passage
alors oui alors tu naîtras
au temps et à l'Espace
ton cœur s'ouvrira
comme le soleil chaque matin
tu respireras avec les poumons de la terre
tu naîtras en Dieu qui naît en toi
et tu verras ta vie devant toi
déployée comme un grand Plan
chargée de fruits à venir
ouverte comme deux mains sur le monde
tu verras aussi l'aurore de ta pensée
se lever sur tes petits-fils
tu verras tout l'or de l'instant
se charger d'une Présence
et tu te verras surtout
comme jamais auparavant
avec les yeux de braise de la lucidité
et la griffe amère de la conscience
tu verras qui tu étais
et ce que tu es devenu
ce que l'on a fait de toi
et ce que tu as fait aux autres
tu verras la maison de ton cœur
et tu voudras y mettre de l'ordre

si tu sais te voir sans trembler
te regarder sans défaillir
et surtout oui surtout
si tu peux dire oui à tout cela
d'un oui fondu dans la soumission
d'un oui ouvert en abîme
d'un oui sans espoir de retour
alors et alors seulement
la Vérité te rendra libre

et tu reviendras chez les tiens
et tu ne seras pas reconnu
mais s'ouvrira lentement en toi
la fleur de la Vie
et tu deviendras un Arbre
où viennent s'abriter les oiseaux du Ciel
et tu grandiras selon l'Esprit
afin d'irriguer d'amour cette planète
oui homme tu le peux
si tu cesses de vouloir

Pierre Bertrand

Hier, nous sommes allés souper au restaurant, Ghislaine me l'a offert pour mon anniversaire. Elle m'a laissé le choix de l'endroit et j'ai choisi Rimouski. Nous aimons bien faire nos achats à Mont-Joli ou dans les environs, mais nous sommes trop connus du public pour pouvoir y passer une petite soirée intime. Après réflexion, j'ai choisi le St-Hubert, parce que je suis un maniaque du poulet. J'aime aussi beaucoup les fruits de mer, mais c'est la spécialité de notre restaurant, nous en mangeons souvent. Nous avons eu une soirée très agréable mais il faut que je vous raconte un moment durant notre souper pour bien montrer que pour faire un monde, il faut toutes sortes de gens, et je ne le dis pas négativement.

Nous sommes assis, en train de manger. Deux types sont installés plus loin. Ils ont un walkie-talkie. Les clients sont nombreux dans le restaurant. Les deux types parlent chacun leur tour, assez fort même. Tout le monde les regarde, mais je crois qu'ils ne s'en rendent pas compte. Au début, cela m'agaçait car je voulais une soirée tranquille, mais après quelques minutes, je l'ai accepté et j'ai même trouvé ça un peu drôle. Ça m'a fait penser que vivre notre moment présent, c'est très personnel. Pour eux, c'était leur nouveau joujou.

Un certain temps après, deux autres personnes s'assoient, un gros et grand gars d'environ 30 ans, genre joueur de football, avec un chapeau de paille mais avec des manières très féminines. Un autre d'à peu près 50 ans, assez court, avec dans ses mains une boîte genre jeu de monopoly. Je présume qu'ils viennent de se l'acheter. Ils commandent et dès que la serveuse est repartie, ils se dépêchent d'ouvrir la boîte pour admirer leur trésor et ils s'arrachent presque les morceaux. Imaginez un peu la scène! C'est presque uniquement des couples, tous habillés pour sortir, qui viennent pour prendre un repas d'amoureux tranquille.

Les deux joueurs commencent à monter leur jeu dans la boîte et ne voient pas, comme les deux précédents, les personnes qui les regardent. Une serveuse passe et s'inté-resse quelque peu à ce qu'ils font. Ils sont tellement absorbés par ce jeu que, moi aussi je crois, j'aimerais voir ce qu'il y a dans ce coffre au trésor. Les clients qui se lèvent font exprès pour circuler par l'allée où se trouvent les deux joueurs. C'est presque le point de mire. Eux aussi vivent leur moment présent intensément.

J'en ai tiré une leçon importante: le plus petit geste, la plus simple des choses que nous faisons peut devenir intéressante si nous y mettons tout notre cœur. Les gens riches comme les pauvres deviennent sur le même pied d'égalité s'ils acceptent leur condition, tout en donnant à Dieu le privilège de leur envoyer de ses bienfaits. La veillée se termine en parlant voyage.

JE ME VOIS SOUVENT CLOCHARD, MAIS PAS UN PAUVRE QUI MEURT DE FAIM ET DE FROID; J'ADMIRE L'HOMME QUI PEUT SE DÉTACHER ET VIVRE SEULEMENT POUR VIVRE INTENSÉMENT

Cela fait au moins quatre ans que nous voulons retourner en Europe. Nous décidons d'y aller à la fin septembre. Moi, je suis un éternel optimiste. Je pense que nos pensées sont vivantes; il faut demander pour recevoir. Le lendemain, je reçois un appel d'une amie française. Elle se demande quand nous irons. Je lui réponds sans trop réfléchir, le 20 septembre, et je lui raconte qu'hier nous avons parlé d'eux. Est-ce de la transmission de pensée? Après avoir raccroché l'appareil, je m'entretiens de voyage avec mes deux employés. Raymonde me dit:

— «Si tu vas en Europe, tu ne pourras pas faire de voyage au Mexique.

Je lui réponds:

— On verra après l'Europe.»

Je leur raconte comment je vois l'affaire. Vous voyez j'ai pris la décision de faire un voyage et théoriquement ça va me prendre plus d'argent. Et bien je crois qu'à cause de cela, j'en ferai plus. Deux heures après notre discussion, un couple d'un certain âge arrive, s'assoit au restaurant et commande un copieux repas, homard, vin ... Pendant que débute le service, la dame visite mon atelier. J'étais dehors en train de faire du ciment. Carmen, ma gérante, m'appelle pour que je vienne, ma visiteuse veut acheter un tableau. J'entre et lui vends ce tableau. Ils terminent leur repas et payent. En tout: 410 dollars. Après leur départ, je dis à mes deux employés:

— Vous voyez, déjà un billet de payé.

Conclusion: Il faut demander pour recevoir.

Si vous aimez la vie, la vie vous aime. Osez demander, pensez que l'argent est un don de Dieu. L'argent est bon, c'est ce que nous en faisons qui est parfois mauvais. Osez avoir des rêves, ils se réaliseront à coup sûr. Je lisais que notre cerveau est comme un ordinateur, si nous lui montrons que 2 + 3 font 4, il pensera toujours de travers. Si nous nous pensons nés pour un petit pain, comment voulez-vous que nous réussissions. Votre ordinateur vous guidera vers la défaite et vous n'aurez aucune chance. Personnellement, j'ai toujours accompli avec succès ce que je voulais fortement.

Chapitre 9

J'aimerais vous entretenir d'un sujet qui vous semblera très loin de l'art. Ce sujet c'est l'immobilier. Je m'y suis presque toujours intéressé et m'y intéresse toujours. Depuis l'âge de 15 ans, quand mon père a acheté pour moi, il y a 29 ans de cela, la terre voisine de la sienne, ça valait 500 dollars. Je n'ai jamais voulu la vendre et aujourd'hui elle vaut 60 fois plus.

Ce n'est pas nécessairement d'argent dont je veux vous entretenir. Ce dont je veux vous parler, c'est plutôt de pensées positives. Il y a à peu près trois ans, je suis tombé par hasard sur un livre traitant d'immobilier. Je l'ai lu à deux ou trois reprises et il avait au moins 300 pages. Je l'ai appris par cœur, jusqu'à ce que je contrôle chaque technique. À Noël de cette année-là, nous étions réunis autour d'une table, des beaux-frères, un cousin, tous dans la quarantaine. Nous parlions de choses et d'autres. Je commence à parler d'immobilier, et surtout je leur rappelle un projet qui avait avorté il y a 15 ans quand nous avions décidé de créer une compagnie pour investir. Dans le temps, nous avions mis chacun 5 dollars par semaine. Ce soir, nous essayons de voir, si nous l'avions fait, combien nous aurions aujourd'hui 15 ans plus tard. Ça chiffrerait dans les gros montants.

Je leur dis, nous avons 40 ans et dans 15 ans, nous serons

à notre préretraite. C'est encore le temps de le faire! Un cousin, Ghislain, qui demeure à Montréal, sort de sa poche un billet de 50 dollars et nous dit:
— Je prends la première action.

Dans l'espace d'une semaine, nous réunissons une vingtaine de personnes prêtes à investir 50 dollars par mois. Ça fait quatre ans maintenant, nous avons quatre propriétés achetées et ça va bien. À ce rythme-là, dans 15 ans, nous aurons chacun une propriété au moins. Voilà pour la compagnie.

Pendant ce temps, moi je m'intéressais encore et toujours à l'immobilier à titre personnel. Il y a trois ans, en 1987, j'ai relu une fois de plus mon fameux livre qui s'intitule «Achetez une maison sans «cash». Je décide que je vais mettre à l'épreuve, sur le terrain, les techniques qu'il contient. En janvier, j'achète un petit chalet à Sainte-Flavie, en avril, une grande maison que je modifie en trois logements. En mai, le voisin veut me voir et m'offre son bungalow. Je lui réponds que je n'ai pas d'argent. Il me finance les 25 p. 100 sans intérêt. Je paye la maison 24 000 dollars. Je la fais évaluer par la caisse populaire et elle a une valeur de 37 000 dollars. En juin, j'achète un 8 logements à Mont-Joli. Je donne en garantie 25 p. 100 sur le Centre d'Art et en juillet, j'achète un duplex à Sainte-Angèle. Cinq en l'espace de quelques mois, sans argent comptant.

Ça fera trois ans, en juin 1989, que je garde mes immeubles. C'est vrai que c'est tout un travail mais on a rien sans peine. Si j'avais la patience de tout garder encore 18 ans! Si présentement mes immeubles valent pour les huit, 500 000 dollars, et si dans 18 ans ils sont payés et qu'on double seulement le prix, je serai millionnaire à 62 ans. Vous voyez comment nos pensées sont vivantes. Ceux que vous enviez peut-être ont risqué; personne n'a rien pour rien sur cette terre.

P.S. Je ne crois pas que je garderai ces immeubles aussi longtemps. Mes orientations ont changé et je ne vis plus pour demain. Si je les garde, je vais vous dire ce que je vais faire avec eux. D'abord, d'ici trois ans, les propriétés vont prendre de la valeur et les taux d'intérêt, baisser. Dans trois à cinq ans, je pourrai sûrement les hypothéquer de nouveau et avec cet argent je me paierai des voyages. Pas à 62 ans, mais à 48 ans. Quand je mourrai, je me fous royalement que mes maisons soient payées ou pas. Je trouve dommage qu'il y ait des personnes qui ménagent pour l'avenir. Ils se retrouvent à 65 ans avec une maison payée, un compte en banque mais trop malades et trop peureux pour voyager. On ne commence plus de nouvelles expériences à cet âge. C'est maintenant qu'il faut prendre le temps quand on est en santé, pas quand on est vieux. Je le répète encore: **«OSEZ DEMANDER, VOUS SEREZ TRÈS SURPRIS DE CE QUE VOUS RECEVREZ.»**

TU PEUX TE PERMETTRE

Tu peux te permettre
d'être ce que tu es et non ce que les autres veulent que tu
sois.

Tu peux te permettre
d'être bon avec les autres sans passer pour un faible

Tu peux te permettre d'être croyant sans te laisser prendre
dans les sectes et les religions des hommes

Tu peux te permettre
de créer sans copier tout ce que tu vois

Tu peux te permettre
d'être un homme ou une femme sans détruire l'autre sexe

Tu peux te permettre
de vivre au présent tout en planifiant ton avenir

Tu peux te permettre
d'être libre en tenant tes promesses

Tu peux te permettre
d'aimer en te détachant et laissant l'autre libre

Tu peux te permettre
d'écouter ton intuition sans peur de te tromper

Tu peux te permettre
d'être un bon père surtout par l'exemple et non par l'obligation

Tu peux te permettre
de gagner sans détruire tout sur ton passage

Tu peux te permettre
de te consacrer d'abord du temps pour mieux rayonner

Tu peux te permettre
de parler de ton sentiment sans accuser les autres

Tu peux te permettre
d'être riche sans être malheureux

Tu peux te permettre
d'être beau en étant simple

Tu peux te permettre
de voler dans le ciel tout en restant humain

Chapitre 10

Un Québécois rencontré à Bucerias nous a fait découvrir un vrai paradis situé à tout au plus 15 kilomètres du camping. Il nous avait fortement conseillé d'aller voir ça. Un chemin de terre. Au coin de la route, une petite enseigne fabriquée d'un vieux bout de contreplaqué déchiré, sur lequel on avait écrit avec de la peinture rouge: «El paroiso» (le paradis).

Il fallait rouler cinq minutes dans un chemin étroit qui ne permettait pas de rencontrer. Au bout de ce passage serré, un restaurant au toit de chaume, avec rallonge en blocs de ciment. Là vivait une famille, où tous les enfants travaillaient au restaurant, le père était cuisinier, les fils recevaient les clients et les deux filles s'activaient à la cuisine. Au Mexique, ce sont en majorité des serveurs. Je ne me souviens pas avoir vu une femme servir aux tables.

Dans notre petit paradis, l'autre côté des habitations, s'étend une petite baie à l'eau tantôt émeraude foncée, tantôt pâle. Sur l'un de ses côtés se trouve de la pierre lunaire noire et à marée basse il y a des milliers d'espèces de poissons et de crustacés de toutes les couleurs et du corail en quantité. J'en ai arraché un morceau en guise de souvenir. Après l'avoir examiné, je l'ai remis en place m'étant aperçu que je dérangeais la vie. À l'intérieur de la boule de corail se trouvaient au moins une cinquantaine de minuscules crabes, des plantes vivantes, des poissons et plein de vies inconnues qui bougent.

Mes garçons avaient emprunté à des amis des tubas et des palmes et regardaient le fond de la mer tout en nageant. Ce fut pour eux une expérience qu'ils n'oublieront jamais. Ils étaient tellement excités que le soir ils ont eu de la peine à s'endormir. J'avais apporté mes pinceaux pour l'occasion. Je m'installe pour peindre à l'acrylique la baie avec les bateaux qui passent au loin. Me voyant en train de faire un tableau, les propriétaires du restaurant arrivent avec presque toute la famille, accompagnés d'autres garçons. Le plus âgé, je crois, me demande si je pouvais peindre un tableau représentant leur restaurant avec la terrasse. Il me paierait. Je promets de revenir le lendemain en sachant bien que je ne pourrais vendre mon tableau à un prix aussi intéressant qu'au Québec.

Je reviens donc le jour suivant et je me mets tout de suite à l'œuvre pendant que chaque membre de la famille venait voir à tour de rôle.

Lorsque j'eus terminé, tout le monde le trouvait excellent, moi aussi d'ailleurs. J'avais réussi à y représenter tous les bâtiments de même que la plage. Il voulait s'en servir pour se faire de la publicité, par exemple sur un dépliant. Comment leur dire, comment leur faire comprendre que ce que je veux en retour, c'est de manger avec ma famille, car ils servent d'excellentes brochettes de poissons, de viande ainsi que de pieuvre que j'adore.

À chacune de nos visites se trouvait là un Québécois, Gerry, de Baie-Comeau, qui parlait très bien l'espagnol. Il m'a aidé à conclure tout de suite le marché. Nous avons donc pu profiter d'un excellent repas ce soir-là, notre budget ne nous permettant pas de dépenser de cette façon. Ce fut un échange très plaisant et le propriétaire nous a invités à nous installer sur son terrain avec notre motorisé si nous le désirions. Ce sera sûrement pour l'hiver prochain car nous pensons y revenir.

La vie se déroule au son des vagues et des camions sans tuyaux d'échappement depuis presque trois semaines que nous sommes à Bucerias. Le petit camping est assez proche de la route mais nous nous habituons. Les enfants font de la baignade plusieurs fois dans la journée. Nous avons loué pour 19 jours, nous pourrions rester plus longtemps, mais...

J'ai des fourmis dans les jambes, j'ai très envie de bouger. Nous décidons donc après une longue réflexion d'aller vers Acapulco. Il y a 640 kilomètres et il paraît que ça prend trois jours en motorisé. Nous aurions aussi aimé aller au lac Chapala, un lac d'une longueur de 95 kilomètres. Il y fait là la plus belle température au monde. Ça se trouve à 320 kilomètres de Puerto Vallarta et en plus ça nous rapproche de chez nous, mais nous allons à Acapulco où nous avons des amis, Doris et Jean-Jacques Arsenault de Mont-Joli, qui ont construit des motels à Pié de la Costa.

Après nous être arrêtés au Mercados à Puerto, pour faire des provisions, nous avions un peu le cœur serré de partir d'ici. Nous nous sentions maintenant en sécurité, mais il fallait pousser un peu plus loin notre goût d'aventures. Il fait très beau comme toujours et il nous reste encore neuf jours avant la frontière. Il nous faut sortir du pays avant que les assurances ne soient périmées. Peut-être que nous prendrons quelques jours de plus la prochaine fois. Nous roulons donc tout l'avant-midi et nous nous sentons bien de reprendre notre vie de nomade.

Nous roulons toujours vers Acapulco. Gerry nous avait indiqué un autre petit paradis à environ 320 kilomètres de Puerto où il y a aussi un club mais c'est privé. Nous arrivons à l'endroit indiqué, qui est magnifique, mais où il faut avoir du culot pour y descendre en motorisé. Nous ne savons même pas si nous serons capables de revenir ou si c'est possible de tourner avec notre maison roulante lorsque nous serons arrivés en bas de la côte très escarpée. Nous voici en bas, ah oui! c'est un vrai paradis mais... pour millionnaires.

J'achète deux bières que je paie 16 000 pesos. Pour vous

montrer la différence entre les deux mondes, à Puerto elles m'auraient coûté à peu près 3 000 pesos. Pas question de manger là, les menus les moins dispendieux chiffrent dans les 125 000 pesos, soit 65 dollars. En plus cette journée-là, les méduses, rares d'habitude, se retrouvaient dans l'eau en quantité, et Philippe en est ressorti avec la peur de sa vie et une de ces petites bêtes collée sur sa cuisse. Ça brûle comme du feu! Le propriétaire, s'étant aperçu que quelque chose n'allait pas, nous a conseillé de mettre de la tequila et de frotter avec de la limette. Deux remèdes qui, au Mexique, soignent 90 p. 100 de tous les maux, et je ne blague pas, ça fait partie de la pharmacie de tous les Mexicains, comme l'aspirine pour nous.

Nous décidons donc de repartir et nous remontons avec peine la côte, tout en nous efforçant de ne pas regarder en bas, car le chemin ne nous paraissait pas trop sécuritaire avec seulement une voie en terre battue. C'est ça le Mexique!... mais nous nous y faisons.

Vers 15 heures, nous arrêtons dans un joli village pour manger. Encore là, il nous faut chercher l'endroit par lequel nous pourrons y pénétrer. Partout de minuscules chemins de pieds. Nous trouvons une entrée en cailloux, mais tellement à pic que la vaisselle vole de tous les côtés, mais une fois rendus c'est très agréable et c'est à croire que nous sommes les seuls touristes de ce lieu. Les gens sont gentils et ils nous invitent à venir chez eux. Il fait très chaud et nous choisissons un endroit où nous pourrons stationner le motorisé un peu à l'ombre. Plus nous nous rapprochons d'Acapulco, plus c'est torride. Sur la plage s'alignent de nombreux mais exigus établissements de restauration, tous collés les uns aux autres, avec de grandes terrasses aux toits de chaume. Sur le sable, près de la cuisine, un espace assez restreint fait de ciment constitue le seul plancher. Ce sont tous des Mexicains, des familles surtout. Je crois que c'est samedi, il n'y a pas d'école et beaucoup de jeunes se promènent. Ça doit être le lieu de rendez-vous des jeunesses comme on dit.

Cette famille est très heureuse que nous l'ayons choisie. Nous commandons des poissons mais nous désirons les voir avant qu'ils ne les cuisent. Nous demandons chacun un cola, pas de café ici; de toutes façons, c'est très rare et très difficile à trouver et s'il y en a c'est de l'instantané, des fois du Nescafé. À un mètre de nous, un bébé est couché dans un hamac, le sport national des Mexicains. Les membres de la famille tout en travaillant donnent un élan à ce berceau un peu spécial et le bébé dort de son plus profond sommeil. Il est beau, comme tous les bébés d'ailleurs. Son teint est foncé, ses cheveux très noirs. Les enfants vont se baigner et je les accompagne. L'eau est bonne et l'endroit sécuritaire. De grosses vagues balaient la plage où les baigneurs sont nombreux, mais nous sommes les seuls étrangers. Quelques Mexicains font de la planche à voile, c'est assez dangereux puisqu'il y a de gros rochers de chaque côté. Nous nous sentons tellement détendus que nous aurions le goût de rester quelques jours ici. C'est vraiment un autre endroit enchanteur où les gens ont l'air heureux, mais il faut continuer si nous voulons nous rendre à Acapulco.

Nous partons à la recherche d'un camping qui nous permettra ce soir de vider les réservoirs. Nous roulons loin de la mer et montons très haut dans les montagnes tortueuses. À quelques endroits il y a des chutes de pierres et de terre, probablement provoquées par les orages, et ces débris ne laissent souvent qu'une voie pour circuler. Des pierres peintes en blanc nous indiquent le danger. Nous avons toujours peur que le chemin cède sous les roues du motorisé. En bas, c'est le précipice de 75 à 100 mètres de profondeur. Le cœur nous fait mal! Heureusement, plus loin, nous retournons à la mer et la route est assez bonne, avec quelques trous, mais c'est naturel.

Une enseigne nous indique un camping à un kilomètre; la route est en terre et il y a tellement de cahots et de trous que nous le croirions à 10 kilomètres. Nous arrivons enfin au camping tant souhaité mais il n'offre pas de système de vidange pour le motorisé. Les occupants sont nombreux et des tas importants de déchets brûlent à vue. Nous nous installons dans le sable au-dessous des arbres gigantesques. Il fait chaud à mourir et il n'y a pas de vent. Nous ne pouvons nous baigner, il y a trop de méduses. Des douches presque à ciel ouvert, alimentées par un réservoir sur la montagne, chauffé par le soleil. L'eau est quand même froide et nous fait sursauter quand elle nous arrive sur le dos, mais mon dieu que ça fait du bien. Comme nous n'aimons vraiment pas ce camping, nous ne moisirons pas ici.

Installé en face de nous, un Québécois avec une grosse tente, une petite roulotte, un camion et une motocyclette. Lui, il aime ça et il s'en vient passer trois mois ici. Nous devons être gâtés depuis notre attrayant camping avec tous les services: piscine, pelouses, vidange pour le motorisé. Il s'en vient seul au Mexique, en camion, et sa femme le rejoint en avion. Elle ne peut prendre des vacances aussi longues que lui. Elle est déjà venue au Centre d'Art et se rappelle des statues.

Ce soir-là, j'ai refait l'histoire de ma vie de peintre, qui m'a mené à la sculpture et maintenant un peu à l'écriture. Je pense que lorsque nous avons percé le nuage qui nous empêche de créer, nous pouvons nous adonner à toutes les formes d'art qui existent. Il n'est pas nécessaire d'être bon pourvu que nous soyons nous-mêmes. Et si on est soi-même, de ce fait, on est unique et quand on est unique on est bon avec toute la simplicité et la naïveté d'un enfant.

Dix-sept ou dix-huit ans se sont écoulés, depuis le réveillon de Noël chez ma tante Thérèse (la tante de Ghislaine) où , fasciné par ses toiles, je les avais regardées pendant toute la soirée. Elles représentaient surtout des visages exécutés à la spatule. Ce soir-là je crois avoir eu un «grand frisson» comme à chaque fois où j'ai pris de «grandes» décisions. Je dis à ma tante:

— «J'aimerais peindre mais je n'ai personne qui pourrait me conseiller sur quoi acheter.

Elle me dit:

— Il y a moi, je vends du matériel d'artiste dans notre librairie au sous-sol.»

Elle pensait que je reviendrais le lendemain, mais moi quand je veux quelque chose, c'est maintenant. Je la prends par la main; je lui dis «C'est tout de suite» et je l'entraîne au sous-sol.

Et me voilà parti à acheter tout ce que ça prend, le chevalet y compris. N'en pouvant plus d'attendre, je voulais essayer mon nouveau jouet, je pars donc de chez elle très tôt pour revenir à la maison. En arrivant, il devait être 3 heures du matin, je m'installe et fais mon premier tableau, un bouquet de fleurs à la spatule. Ma mère l'a toujours, et depuis je n'ai jamais arrêté de peindre. Le lendemain, je réalise un autre tableau et quand nous sortions en famille le dimanche, j'apportais mes pinceaux et une toile. Pour me faire pardonner, je peignais un tableau pour la parenté. Je leur donnais tout simplement. J'avais vraiment le coup de foudre. J'en négligeais même mon travail!

J'ai peint pendant la première année au moins 100 tableaux. J'ai même essayé de changer ma signature en prenant le nom de «La Brousse», surnom donné aux Gagnon du temps de mon grand-père. Je l'ai utilisé pour une ving-taine de tableaux, des formes abstraites surtout. J'étais alors en affaires dans l'automobile et j'avais un garage. Un vol m'obligea à fermer mes portes. Avant de revenir chez nous, je décide donc de faire une première exposition à Montréal. Je visite quelques galeries et la première question que les propriétaires me posaient c'était:

— «Avez-vous fait les Beaux-Arts ?»

J'étais carrément enragé et je pensais que ma peinture valait bien celle exposée là. Maintenant, je sais que je n'étais pas prêt pour les galeries à cette époque.

Je décide donc de me louer une salle et de faire mon exposition par mes propres moyens, et elle a lieu le 2 mars 1975. J'ai bien failli être en retard parce que Guillaume avait choisi de naître ce matin-là à 11 heures et j'ai assisté à l'accouchement. Revenu en vitesse pour l'ouverture de l'exposition à 13 heures, j'ai vendu plusieurs tableaux à la parenté. Vous savez, quand on commence c'est surtout la famille qui vous encourage. Beaucoup d'émotions pour une seule journée, beaucoup de bonheur aussi car c'est très émouvant d'assister à deux naissances le même jour. Je m'en souviendrai toujours!

Nous attendons que Ghislaine refasse ses forces pour déménager dans le Bas du Fleuve, (en Gaspésie comme on dit souvent) dans une maison que j'avais dans le bout du rang 8, sur la terre que mon père m'avait achetée. Sa quarantaine terminée, nous voilà partis avec un vieux camion Chevrolet, une remorque louée accrochée en arrière. Notre vieille Toronado rouge avec une autre remorque. Mon beau-frère Jeannot et ma sœur Monique sont venus nous rejoindre en train, pour nous aider et conduire une auto, car Ghislaine devait s'occuper du très jeune bébé.

En descendant, nous restons en panne, un «joint universel» sur le camion Chevrolet se laisse aller. Nous en trouvons un autre à Drummondville et nous le remplaçons nous-mêmes, c'est moins dispendieux. Il nous faudra ménager puisque nous vivrons de la peinture seulement. Ce sera le seul revenu avec trois enfants. Les amis me traitaient de fou de venir faire de la peinture dans la région. Selon eux, j'aurais dû rester à Montréal où le marché est meilleur pour la vente. Moi, je leur répondais que j'aimais mieux faire 150 kilomètres pour vendre mes tableaux que de faire la même distance pour les peindre.

Ça n'a pas été facile de revenir à la campagne après avoir goûté le confort de la ville où nous habitions une maison neuve, que nous venions d'acquérir depuis quelques mois. Nous avions donné 2 800 dollars comptant et payé quelques termes. Dans ce temps-là c'était de l'argent! J'ai convaincu

Ghislaine que nous devions remettre les clés... c'est donc ce que nous avons fait. Nous les avons mises dans une enveloppe et retournées à la banque en leur expliquant que nous n'en voulions plus, que nous déménagions dans le Bas du Fleuve. Croyez-moi ou non, nous n'en avons jamais entendu parler. Je ne sais pas comment ils ont procédé pour le contrat de notaire. Peu importe, nous voulions changer de vie, nous l'avons fait. Je remercie Ghislaine de m'avoir suivi dans ma démarche et de ne pas avoir cessé un instant de m'encourager, même dans les moments les plus difficiles.

En arrivant avec notre bagage, nous ne pouvions placer nos meubles dans notre vieille maison, cette dernière n'ayant pas été habitée depuis plusieurs années. Nous devions d'abord exécuter certains travaux pour qu'elle redevienne habitable. Nous avons entreposé nos meubles chez mes parents dans le sous-sol, au village, et nous sommes demeurés aussi chez eux. Ils étaient très contents de nous voir de retour avec toute la marmaille. Deux mois après, nous sommes déménagés. Il me fallait d'autre argent; j'ai alors organisé ma première exposition à Rimouski à l'Auberge des Gouverneurs. Ces années-là, il n'y avait pas eu ou presque d'expositions à Rimouski. Il me restait environ sept à huit cents dollars que j'ai décidé d'investir entièrement dans la publicité et dans l'encadrement. Si c'est un échec, je retournerai travailler comme bûcheron ou mécanicien. Je ne suis pas invalide, comme j'ai dit à Ghislaine! Même si l'on dit «56 métiers, 56 misères» c'est quand même pratique quand on en a besoin. Je m'organise donc pour obtenir des entrevues télévision, radio et journaux. J'achète de la publicité à la télévision et mets l'accent sur mon retour dans la région.

L'exposition ouvre le samedi soir à 20 heures. C'était en mai, je crois, et à 19 heures 30, il y avait déjà du monde qui attendait dans le hall. Mais nous ouvrions les portes seulement à l'heure indiquée. Dès l'ouverture, plusieurs personnes se précipitent. Nous sommes quatre pour prendre les noms, les chèques et coller les étoiles sur les tableaux vendus. Nous ne fournissions tout simplement pas et dans deux heures tout est vendu ou presque. Il ne reste que quelques grands tableaux moins intéressants. Le dimanche, le public achète ce qui reste des 54 tableaux en quelques heures. C'est extraordinaire! C'était le bon temps. On ne voit plus cela maintenant parce qu'il y a de nombreuses expositions.

Un mois plus tard, j'en faisais une autre à Mont-Joli au Relais de la Butte. J'en vends encore 23. J'ai maintenant suffisamment d'argent pour vivre six mois. Je peux produire sans stress malgré les bouches que j'ai à nourrir. Ça ne nous coûte pas cher pour vivre, la maison est à nous, les réparations ont été réglées comptant, l'auto est payée, plus aucun paiement à effectuer, seulement les besoins journaliers. L'été se passe à faire des petits travaux, à couper le bois, à boucher les trous qu'il y a dans les murs de la petite grange pour y élever des lapins que nous lâcherons finalement dans la nature et que nous ne reverrons jamais ou presque. À l'automne, une idée d'enfance remonte à la surface. J'ai envie de cultiver un peu, de planter des fraises de jardin comme mes parents le faisaient quand nous étions enfants. J'achète un tracteur International Formall à «grandes pattes», qui ressemble à celui des «Arpents verts». La vie se déroule comme dans un rêve et à l'automne, une autre exposition à Rimouski. Encore un succès, presque tout vendu!

L'hiver passe avec difficulté, nous nous sentions loin du monde. En plus de rester dans le bout d'un rang, comme nos enfants le disent si bien, la montée mesure 275 mètres environ. Ça fait toute une entrée! En plus, les voisins sont loin et nous ne voyons même pas leurs maisons. Moi, je m'en sors assez bien puisque je voyage au village, travaille dehors, mais Ghislaine, ne pouvant être aussi libre avec trois jeunes enfants, s'ennuie un peu. Je la comprends. Pour elle, même si c'est une fille de La Rédemption, c'est le dépaysement total après plusieurs années passées en ville.

Le printemps venu, nous semons des fleurs, des fraises et nous avons un petit jardin. L'été, c'est très beau et nous reprenons confiance. Nous parcourons presque la province en faisant plusieurs vernissages: Rivière-du-Loup, Carleton et nous retournons à Montréal pour une exposition à Longueuil, salle Yvan-Cournoyer. Cette dernière ne fonctionne pas très fort.

Un autre hiver s'étire lentement et Ghislaine n'en peut plus. Moi aussi je trouve le temps long parce que je n'ai pas toujours envie de peindre. Il faut déménager. Nous allons voir un appartement à Rimouski. Je le fais pour Ghislaine, moi je ne veux plus vivre en ville. Nous comprenons vite en voyant les balcons d'en arrière que nous étoufferons encore plus ici qu'en campagne sur notre ferme.

Nous faisons une concession, un petit peu de ville et un peu de campagne. Mon père nous offre de rester au village où il a le grenier de la maison dans lequel nous pourrons faire quatre chambres et un grand atelier. En bas, il y avait un appartement trois et demi qu'on modifie pour faire une cuisine-salon. Me voilà reparti encore dans de nouvelles réparations. Nous louons notre maison dans le rang et nous vivons maintenant au village. Ghislaine décide d'acheter l'épicerie de mon père qui est située en avant dans la même bâtisse, ce qui ne l'empêche pas de toujours m'accompagner lors de mes expositions que je continue de plus belle. C'est mon bras droit. Nous démontons une exposition dans 20 à 25 minutes maintenant.

Après une couple d'années de commerce d'épicerie-dépanneur, Ghislaine s'ennuie de son métier de coiffeuse et elle en parle souvent. Je lui dis de me faire signe lorsqu'elle sera prête, et nous ferons la liquidation. Un jour, elle se décide et deux mois après, l'épicerie est devenue un salon de coiffure. Les heures sont moins longues et ça nous fait un revenu de sécurité.

Durant cette période, je commence à m'intéreser au travail du bois. J'achète des outils, j'en remplis le sous-sol. Je fais de l'encadrement et je sculpte des meubles uniques.

Un été, mon père retourne travailler comme bûcheron près de chez nous à la montagne Saint-Pierre. Ça lui prend quelqu'un pour sortir son bois de la forêt et j'y vais avec mon tracteur. Je réussis à accumuler un nombre suffisant de semaines assurables pour recevoir des prestations d'assurance-chômage. Les affaires ne vont finalement pas si mal et nous partons pour l'Europe à la fin août.

C'est notre premier voyage. Je visite un bon nombre de musées et nous nous faisons des amis suisses que nous revoyons toujours. Nous revenons plus qu'enchantés de notre voyage et pour la première fois de ma vie je me mets sur l'assurance-chômage pour m'apercevoir que je ne produis plus. Je suis comme mort parce que j'ai peur de me faire poigner à gagner quelques dollars avec ma peinture et ça me stresse. Je suis de mauvaise humeur plus souvent qu'à mon tour. Une bonne journée, au moment de compléter ma carte de retour, au lieu d'inscrire en chômage, comme pour les précédentes, je prends un crayon-feutre noir et j'écris en gros caractère en travers de la carte **AU TRAVAIL**. Je venais de retrouver ma créativité. Je savais que je n'en recevrais plus de toute ma vie.

Entre temps, le dernier de nos enfants, Philippe, vient au monde. Ma mère et mon père, émus, nous disent merci parce qu'ils viennent de retrouver les trois garçons qu'ils ont perdus en bas âge. Je suis leur seul fils avec six sœurs, Paule, l'aînée, Louise, Monique, Claudette, Hélène et la cadette, Johanne.

J'ai d'ailleurs été très gâté, je crois, par toutes ces filles et ma mère. Faut dire que quand j'étais jeunesse, j'ai fait un peu de chantage. J'avais une auto dès l'âge de 17 ans et j'étais le deuxième de la famille. Lorsqu'elles voulaient sortir avec moi, je leur faisais cirer mes souliers et repasser mes pantalons. J'étais un peu macho, mais j'ai bien changé, je le crois en tout cas!

La vie se déroule bien et je me mêle un peu de la vie de paroisse, fondant avec Jean-Marc Bérubé le «Festival des

Artisans», dont je serai président pendant cinq ans. Durant ce temps, je m'intéresse également à la politique municipale. Je me présente à la mairie et la première fois, je me fais battre par 30 voies de majorité. Deux ans plus tard, je me présente à nouveau et cette fois, je gagne mes élections. J'avais un but bien précis, faire les travaux d'aqueduc et d'égout. Ça se parlait depuis 20 ans et deux ans après mon arrivée à la mairie, c'était fait. Des travaux d'un million et demi. Je n'ai pas trouvé l'expérience facile à vivre car il y avait des gens pour et d'autres contre. Ce fut tout de même très enrichissant.

Un autre voyage à Paris et cette fois-ci j'apporte une vingtaine de tableaux pour y faire une exposition. Des amis français venus au Québec, dans un échange d'écoles secondaires, l'organisent pour nous dans un restaurant à la Gare des Invalides. De retour de voyage, j'ai 37 ans, et survient le moment d'une grande remise en question, d'une profonde réflexion.

Après avoir réalisé 80 expositions solos, je suis vidé et tanné de parcourir la province pour vivre de la peinture. Je n'ai plus envie de voir du monde. Je me souviens encore de ma dernière exposition à Rivière-du-Loup, Ghislaine n'en revenait pas. Je ne voulais plus voir personne et j'étais content que ce soit tranquille. Ce soir-là, j'ai senti qu'il y avait quelque chose de changé en moi.

J'avais acquis, je crois, un bon coup de pinceau, je maîtrisais très bien le paysage. J'avais commencé à faire des personnages, mais je ne les sentais pas vraiment encore. Après cette exposition, je pris presque une année sabbatique de paysages pour faire une série de 20 tableaux qui commençait par un petit tableau de 10 sur 13 centimètres avec un personnage. À chaque fois qu'un personnage s'ajoutait, le tableau grandissait et on voyait apparaître la tête du prochain personnage. Ça se terminait par un grand tableau montrant un personnage de dos.

Avec cette série de tableaux, je suis accepté au Musée de Rimouski; un grand jour pour moi!... J'avais été refusé à deux reprises avec les paysages. J'ai appris par la suite que l'œuvre que je présentais avait obtenu à peu près tous les points des juges. Et entre temps, toujours avec mon personnage sans bras, portant tunique, je gagne une bourse de 500 dollars au Musée de Sept-Îles. Je me souviens encore du titre de l'œuvre qui a remporté le prix: «Il faut parfois se fermer les yeux pour regarder plus loin.» C'était un personnage de face, qui avait les yeux fermés et qui voyait en rêve un autre personnage qui montait des marches. C'était très symbolique pour moi à cette période de ma vie. J'avais besoin d'aller aux sources, de pénétrer à l'intérieur des êtres et des choses.

LA RÉFLEXION EST LE CONTRAIRE DE LA CRÉATIVITÉ
LA RÉFLEXION NOUS MONTRE LE CONNU
L'INTUITION DÉCOUVRE CE QUE NOUS AVONS DE
PLUS PROFOND EN NOUS
LA CRÉATIVITÉ NE DOIT PAS ÊTRE DICTÉE,
MAIS DOIT JAILLIR

Pour accompagner la série de 20 tableaux qui fut intitulée «Seul parmi la foule», j'ai eu l'idée de faire un chemin de croix, qui a été exposé au Musée gaspésien à Carleton et qu'on peut voir présentement, au Centre d'Art dans le hall.

Pour moi, ces deux événements ont été un tournant dans ma vie de peintre. J'avais aussi montré de ces personnages à Albert Rousseau de Québec, mon maître spirituel, comme je l'ai toujours appelé. Ce que j'aime dans cet homme, c'est justement l'homme, avec sa simplicité. Il aimait donner de lui-même sans attendre en retour. Il avait apprécié mes œuvres en me disant que j'avais trouvé un filon et qu'un jour ce serait mon tour, en me montrant une pile d'argent. Il venait de vendre, dans l'intervalle d'une heure, pour environ 10 000 dollars de tableaux. Un agent de peintres m'a raconté que lorsque venait le temps de le payer, si, par exemple, on le payait avec des 20 dollars, après qu'il en avait mesuré une pile totalisant mille dollars, les autres milles étaient mesurés par l'épaisseur seulement. «Il disait qu'il était pressé, qu'il avait hâte de peindre.»

Il m'avait donc conseillé de continuer mes paysages, de laisser mes personnages sur la voie de contournement pour quelques années, jusqu'au moment où ils seraient prêts à faire face à un public de connaisseurs. J'ai suivi son conseil et maintenant, 50 p. 100 de mes ventes de tableaux sont des personnages. Il y a trois ans je n'en vendais pas plus de 5 à 10 p. 100.

La composition de mes tableaux a évolué avec le temps. J'incorpore du paysage à l'arrière-plan tandis qu'au début c'était davantage un personnage à la recherche dans l'univers, le fond était invisible. Maintenant, je suis revenu à cette bonne vieille terre mais toujours en procession, ce qui représente pour moi un symbole de recherche.

En 1984, l'année des grands voiliers, je me suis dit que c'était ma chance de me faire connaître. On prévoit qu'il viendra bien du monde en Gaspésie, l'année Mer et Monde. Je fais un projet pour le quai à Sainte-Flavie (qu'on nomme les portes de la Gaspésie). Je veux construire un bateau à l'air ancien et faire une galerie d'art dedans, avec restaurant où l'on servira de la bonne bouffe. J'y pense depuis mon voyage en Europe. Un endroit où l'on boit du bon café au lait dans un bol. Le Conseil municipal refuse le projet car le ministère des Transports l'interdit. Si je veux réussir, me dis-je, il faut que je sois installé sur la route 132, au bord du fleuve.

Je pense alors à Percé, mais Ghislaine me dit:

— Peut-être qu'on peut louer ou acheter quelque chose à Sainte-Flavie.

Je n'y croyais pas trop, mais j'étais assez content qu'elle en parle car, depuis nos aventures à Montréal, nous ne nous sommes jamais endettés de nouveau d'un cent noir. Nous avons un peu peur, vu notre condition instable. Nous remarquons une grande maison à vendre de style suisse avec balcon intérieur et toit cathédrale. L'agent immobilier nous fait un prix. Nous appelons le propriétaire qui demeure à Ottawa, mais ce n'est plus le même prix et le dossier est en Cour; il l'avait déjà vendue et le client avait refusé de prendre possession de la bâtisse après qu'une grosse tempête ait ravagé toute la côte derrière la maison. Le garage est même tout de travers, la mer l'a presque emporté. Nous décidons de laisser tomber, c'est trop compliqué. Ghislaine me montre un petit bungalow voisin de la grande maison. Je lui dis:

— Pour te faire plaisir, je vais le visiter, mais je ne pense pas l'acheter.

Nous appelons l'agent, un monsieur Marmen de Sainte-Flavie, il nous dit:

— Dans 15 minutes, je vais être là.

Nous décidons de l'attendre, s'il avait dit une heure, nous ne serions pas restés. Il pleuvait et las d'attendre, nous partions lorsque l'agent est arrivé.

Il nous montre la cuisine pendant que moi je continue dans le hall. L'image que je me faisais de ma galerie d'art et de mon petit café-restaurant, c'est exactement cela que j'avais devant les yeux. Des petites salles, deux solariums, une grande pièce avec foyer. En plus, les planchers, l'électricité, les fenêtres, la plomberie, la cuisine ont été refaits. Il y a même de l'équipement neuf comme un poêle, un réfrigérateur, une laveuse-sécheuse, un lave-vaisselle, tous de première qualité. Je rencontre le vendeur dans la porte, ça fait environ une minute que nous sommes à l'intérieur. Je lui demande:

— Où est ton offre d'achat?

Je lui dis:

— Je suis décidé, j'achète.

La propriétaire demande 25 000 dollars pour tout ça. J'en

offre 24 000 dollars et le soir, c'est accepté, et deux jours après, nous passons chez le notaire.

Je me mets immédiatement au travail, le lendemain de l'achat. Je fais une enseigne de bois, un perron en arrière, des tables avec du contreplaqué, recouvertes de nappes de couleurs. Je cours les marchés aux puces à la recherche de vieilles chaises. J'apporte des chaudrons de chez-moi. Je crois même qu'il y en avait avec la maison, et en 15 jours, jour pour jour, nous ouvrons nos portes. J'ai accroché tous les tableaux que j'avais en ma possession. J'ai maintenant ma place! Je n'aurai plus à courir, ils vont venir à moi, en tout cas je l'espère.

J'ouvre à 9 heures du matin. Il est 11 heures 30 et pas l'ombre d'un chat encore. Tout à coup une grosse voiture entre dans la cour et un couple d'une quarantaine d'années entre. Lui, médecin, elle, dans les affaires. Ils prennent un café et me donnent des conseils sachant qu'ils étaient les premiers clients. Je leur offre d'ailleurs ce café en leur expliquant tout ça. Avant de partir, ils m'achètent des tableaux pour 550 dollars et s'en vont. J'étais fou comme le balai. J'ai vraiment senti que ça irait bien.

Durant l'été, je démissionne de la mairie; il y a des élections de conseillers à l'automne, ils vont se trouver un maire par la même occasion. Il me restait un an à faire dans mon mandat, mais je n'étais plus assez présent.

La saison estivale se passe très bien et je vends plusieurs tableaux, ce qui m'encourage, et nous faisons des plans pour venir vivre ici. Deux ans après, nous décidons de bâtir une maison annexée au petit bungalow. Les travaux commencent de très bonne heure au printemps; il nous faut ouvrir les portes pour le 15 juin, mais nous ouvrons en catastrophe, n'étant pas tout à fait prêts. Depuis ce temps, le chiffre d'affaires monte à chaque année. C'est merveilleux! Je me sens très bien et mon personnage évolue; je commence à le faire en bois, en trois dimensions. Je m'amuse beaucoup, il a perdu ses bras et il a de nombreux boutons à son vêtement. Je peins seulement pour moi, si quelqu'un aime ça, tant mieux.

Deux ans auparavant, vous allez rire, j'avais remarqué qu'il y avait des marées. Vous savez, il faut avoir une chose près de nous parfois, pour l'ignorer. Je trouvai cela extraordinaire, c'était tellement automatique, tellement naturel. J'ai donné à mon ordinateur (lire subsconcient) un travail. Je lui ai demandé de me trouver quelque chose à faire avec cette force de la nature.

En 1986, j'ai eu comme un éclair accompagné du plus «gros frisson» de ma vie. Ce flash me montrait l'œuvre exactement comme elle est aujourd'hui. C'était une procession de personnages grandeur nature, qui sortent de la mer. C'est là qu'a commencé l'œuvre maîtresse qui a changé ma vie. J'avais percé le mystère de ce qu'est la créativité pure. Je vous le dis sans fausse modestie. Je le ressens depuis ce jour, à tel point qu'il y a des occasions où j'ai l'impression que ce n'est pas moi qui l'ai réalisée. J'ai tellement vibré en construisant ces statues. Les premières que j'ai faites c'était en hiver, dans le sous-sol. Je ne peux expliquer les sensations que j'ai ressenties, j'avais envie de crier mon bonheur. J'aurais tout fait pour me procurer l'argent pour le matériel. J'aurais, je crois, été jusqu'à voler. Je n'ai jamais éprouvé ça une autre fois dans ma vie. Je me souviendrai toujours du jour où je les ai déposées dans la mer. Ça doit être ça un accouchement. Ensuite, je me suis assis et je n'ai pas été capable de bouger pendant deux heures.

Cette procession dans la mer a fait couler beaucoup d'encre. Je vous fais connaître quelques commentaires sortis du livre de signatures des visiteurs du Centre d'Art.

«La liberté est un état d'être, non un souvenir»

Louise C.

«Beaucoup de lumière pour le cœur»

Marie-Josée G.

«Ô chercheur de vérité, un jour sans doute, tu verras la lumière que tu recherches, jaillir, resplendissante, du Mont-Carmel»

Bon cheminement,

Juliette G.

«Je me suis sentie bien parmi ses personnages en marche vers la lumière»

Huguette M.

«Les avances et les reculs, les mouvements de droite à gauche, les autres oscillations et vibrations, démontrent que tous les éclairs ne tiennent pas du génie, mais de la spontanéité de l'enfant en vous»

Signé: Z

«Félicitations d'avoir laissé passer cette énergie à travers vous, pour que les yeux de l'âme de chacun la captent»

Suzanne G.

«Difficile à expliquer ce qu'on ressent»
Félicitations,

Marie-Anne

«Merci pour cette merveilleuse pause dans ce havre de paix»

Louise M.

«Étrange et fascinant - beaucoup d'espoir pour l'avenir»

Claude B.

«J'ai trouvé les sculptures bien faites quoiqu'elles se ressemblent toutes. Tes peintures ont encore de la place pour l'amélioration et tes aquarelles sont super belles»

Signé: Anonyme

«Comment ne pas résister au désir d'apporter avec soi un morceau de toute cette tendresse de vivre, un coin de Gaspésie - surtout en aquarelle, une de tes toiles qui me rappellent un de mes propres moments d'amour»

Denise P.

«Extraordinaire, l'effet de bien-être que les statues produisent chez le visiteur, une grande paix s'en dégage. Bravo!»

Pauline

«Si le génie se mesure au nombre de boutons... o o o o o o o o o o

Signé: D.

«Que de beauté dans ces tableaux, que d'expression sur ce personnage mystérieux et mystifié. Bravo Marcel!

Une petite artiste,

Roma

«Je suis venue au rendez-vous
          Je suis revenue au sanctuaire
                    Ils émergent de la mer
                              Nous de l'inconscience
                                        Ils avancent délibérément
                                                  Nous à tâtons...

          Eux, nous,
                    Nous approchons de l'incarné
                              Chaque pas nous rapproche
                                        D'autres viendront, Marcel»

Lise Bilodeau

«C'est le génie du fleuve qui s'en vient»

Carmelle C.

«Les mots ne peuvent exprimer mon ressenti, sauf que je peux vous dire que je me suis senti en unité et en paix»

Gilles H.

«Une bouffée d'air pur rafraîchissant»

Claude L.

«Un moment de paix dans ce monde tumultueux»

Jacynthe

«Le passage est trop rapide pour goûter intensément ce qui se vit ici»

Signé: L.G.

«Cela me donne le goût d'explorer un peu plus ce que cela fait vibrer en moi»

Pierrette

«Quel projet audacieux et magnifique!
Organiser ici, en bas dans la matière, un grand rassemblement
Quelle joie de voir l'artiste quand il est guidé par un grand idéal, merci»

Jeannette

«Guillaume — 8 ans. C'est quoi l'trip?, les bras vont-ils pousser? P.S. Beau quand même!»

«Il y a une marche ou une démarche... Et les boutons???
Vous nous rejoignez par le cœur»

Ghislain

«En espérant qu'il ne soit pas trop tard pour le grand rassemblement»

Un partisan de l'ère du verseau — Julien

«On retrouve chez vous une paix qui donne le goût d'améliorer notre qualité de vie»

Diane C.

«Que tes œuvres sont belles!
Que tes œuvres sont grandes!
Seigneur! Seigneur!
Tu me combles de joie!

Signé: G.H.

Voici trois commentaires qui font référence à ma pensée
écrite sur une porte dans le Centre d'Art: «J'aimerais mieux
mourir incompris que de passer ma vie à hésiter et à
m'expliquer»

Marcel Gagnon

«J'aime mieux hésiter et m'expliquer, même si je dois mourir
incompris»

Dominique

«Je n'hésite pas et je suis toujours incomprise.»

Rita

«Félicitations, ne craignez pas.....vous pouvez mourir
incompris»

Marie

Aurais-tu donné au fleuve sa valeur mystique?

Après la purification au Gange

et la traversée célèbre du Nil

Le Saint-Laurent entre Bersémis et

Sainte-Flavie, aura-t-il avec les mutants

une mission mystique à raconter.

Ces troncs humains, qui ne peuvent

donner ni recevoir sont à l'image de

nous tous, dans notre impuissance

à communiquer, à embrasser l'autre

à l'étreindre dans un corps à corps amoureux

(ou plutôt un tronc à tronc) de vie.

J'aime la naïveté qui t'anime et le

succès qui te traverse ces jours-ci.

Pourtant, donne-toi le temps de bien mûrir

sur tes rives, le soleil passe vite dans

un été de création.

Marcel Dubuc
Sculpteur

Aujourd'hui, nous sommes le 17 juin 1989 et ça fait quelques jours que je n'ai écrit une seule ligne. J'étais très occupé à autre chose. Même si j'avais un concierge et qu'il faisait sûrement son possible, j'ai dû reprendre en main l'entretien et la location de mes logements. Je ne sais pas si c'est le contexte dans le domaine de la construction, mais j'en ai quatre qui ne sont pas loués pour le premier juillet.

En plus de cela, j'ai vécu une belle aventure. Connaissez-vous «La course autour du monde» ou «La course des Amériques» de Radio-Canada. J'ai eu le plaisir d'y participer cette semaine avec mes statues. L'émission sera diffusée à leur antenne en septembre 1989. Le reporter, André Gariépy de Montréal, un jeune gars de 22 ans très attachant qui s'intéresse à tout, a passé quelques jours ici avec nous. Il va traiter le sujet avec beaucoup de mysticisme et de couchers de soleil. Durant l'entrevue, je voulais être très bon pour lui donner la chance de gagner des points mais j'avais de la misère avec le naturel. Nous avons dû recommencer trois fois, mais à la fin, ça allait bien. J'ai très hâte de voir le produit fini.

Il en est arrivé des événements depuis que je les ai placées dans la mer, ces statues! Au printemps 1986, ma première année d'opération, Radio-Canada avait diffusé une émission sur les statues avec Bernard Derome, au téléjournal national. Le lendemain, le montant de mes ventes, au Centre d'Art, triplait. Ensuite, il y a eu Télé-Métropole. «Reflets d'un pays» à Radio-Québec. En 1986 et 1988, La Presse s'est servi des statues pour faire la publicité de son feuillet touristique annuel. Une entrevue est parue dans la revue italienne Atlante et j'ai même eu droit, à une émission américaine «Believe it or not» qui se spécialise dans les choses insolites. En plus, il se prend plusieurs milliers de photos chaque année. Je reçois beaucoup de témoignages encourageants de personnes et d'associations. En 1987, le Grand Prix du tourisme gaspésien en innovation nous a été décerné. C'est une reconnaissance très importante, car je suis heureux d'aider la Gaspésie à attirer et à garder ses touristes; c'est tellement beau ici!

J'ai décidé de prendre l'après-midi pour me détendre un peu. Ah oui! c'est le 4 juillet 1989. Drôle de hasard, je suis encore assis au St-Hubert à Rimouski. Ça doit faire trois semaines que je n'ai rien écrit. J'en avais peut-être pas assez envie. Je me suis acheté un cahier puisque je n'avais rien apporté avec moi. Ce soir à 17 heures 30, je vais chercher Ghislaine à son salon de coiffure. Nous irons manger ensemble. Il faut se garder des petits moments pour nous deux car l'été nous sommes très occupés chacun de notre côté. Il ne faut pas attendre que quelqu'un nous le permette, la vie nous donne ce que nous prenons. Il faut arrêter de se plaindre et saisir au passage ce dont nous avons besoin. Tout est là et je me rends compte avec le temps que plus je demande, plus je reçois de cette vie. Ça ne veut pas dire qu'on peut rester assis et ne rien faire. Nous pouvons travailler très fort et en même temps décider de ce que sera notre destin.

Depuis la dernière fois que j'ai écrit, il est survenu toutes sortes de choses. Je me suis acheté deux livres sur les auras et le premier n'est pas fameux et n'en traite que vaguement, le deuxième qui s'intitule «Les robes de lumière» est, selon moi, très bon. J'ai presque terminé de le lire et je me pratique à essayer de voir mon aura dans le miroir chaque jour ou lorsque l'occasion se présente. Je l'ai vue une fois... des petits nuages bleus-verts et des jaunes, surtout près du cou et de la tête. Ce qui est plus facile à voir c'est l'éther que nous avons tous près du corps, une zone grise, d'une épaisseur d'environ 2 centimètres, qui peut apparaître comme une brume. J'ai réussi presque du premier coup. D'ailleurs, un soir, nous avons fait l'expérience en famille et tout le monde semblait l'avoir vue. Je crois qu'avec le temps, l'humain a cessé de voir certaines choses. Il faut réapprendre à connaître notre force. J'ai la sincère conviction qu'un jour je verrai mon aura très facilement.

Le Centre d'Art a recommencé ses opérations à plein rendement. Plusieurs clients me félicitent pour tout ce que j'ai fait et dernièrement le texte «La voie» a transformé quelque chose en moi. Je suis habitué à recevoir des compliments des gens depuis le temps, et surtout depuis les statues, mais aujourd'hui, il me semble que l'effet que ça m'a fait a remonté d'un cran. J'ai eu une drôle d'impression...à cause d'une madame qui était vraiment émue. Cela m'a dérangé un peu, il me semble que c'était trop, mais je la sentais sincère. Elle m'a serré chaleureusement la main avec ses deux mains. Un peu comme on vénère la main d'un évêque, d'un premier ministre ou de quelqu'un pour qui on a de l'admiration. Vous allez rire, mais ça m'a fait plaisir! Et en même temps j'ai eu peur de me prendre pour un autre, j'ai eu peur d'être un jour une espèce de gourou qu'on va voir pour lui raconter ses peines et obtenir des conseils. Je n'avais jamais connu cette sensation. Comment aider les autres en restant humble? Comment ne pas embarquer dans ce qu'on appelle l'orgueil?

Par la fenêtre, il y a quelques minutes, je voyais qu'il pleuvait à boire debout, maintenant le soleil est revenu. C'est le temps pour moi d'en profiter pour quitter le restaurant et pour vous dédier un texte que j'ai composé dernièrement:

COMMENT PEUX-TU?

Comment peux-tu vieillir en paix si tu regrettes ton enfance

Comment peux-tu parler d'aimer si tu ne t'aimes pas

Comment peut-tu parler de paix quand ton cœur vit la rage

Comment peux-tu parler de bonheur quand ton cœur vit la tristesse

Comment peux-tu parler de joie quand ton cœur vit le chagrin

Comment peux-tu parler de vie quand ton cœur vit la mort

Comment peux-tu parler au présent quand ton cœur vit dans le passé

Comment peux-tu parler de rêve quand ton cœur vit tes échecs

Comment peux-tu rendre les autres heureux quand ton cœur ne l'est pas

Comment peux-tu pardonner si tu ne te pardonnes pas

Comment peux-tu accepter les autres si tu ne t'acceptes pas

Comment peux-tu te guérir si tu n'as pas la foi

Comment peux-tu rayonner si aucune lumière n'entre en toi

Comment peux-tu écrire si tu es vide d'expérience

Comment peux-tu créer si tu ne fais pas confiance et ne t'abandonnes pas

Comment peux-tu changer les autres si tu ne te changes pas d'abord

Comment peux-tu désirer la richesse si tu as toujours peur de la perdre

Comment peux-tu réussir si tu n'es pas heureux de la réussite des autres

Comment peux-tu voyager si tu ne rêves pas de voyage

Comment peux-tu recevoir si tu ne donnes pas

Comment peux-tu vivre, si tu ne crois pas à la vie

Comment peut-on espérer être ce que l'on n'est pas.

Marcel Gagnon

Chapitre 11

Nous repartons le lendemain matin sans avoir pu vider nos réservoirs, mais nous laissons dernière nous les méduses. Il fait encore très chaud. Nous traversons dans la journée encore plusieurs barrages de l'armée avec des soldats à mitraillettes que nous ne pourrons pas oublier, mais ces derniers sont très gentils et cette fois nous avons du plaisir. Nous sentons que pour eux c'est de la routine. Ils nous demandent en riant si nous avons de la marijuana. Nous nous sommes achetés des melons d'eau et nous leur en offrons quelques morceaux qu'ils acceptent avec plaisir car ils ont très chaud dans leurs uniformes de soldats. Ils taquinent Philippe qui est assis en avant, près de la fenêtre. Ils acceptent des cigarettes, un peu sèches, dans le coffre à gants.

Ce soir nous coucherons à Playa Azul; il ne nous reste qu'une journée avant Acapulco. Playa Azul c'est très touristique et la plage est belle. Il y a un terrain de camping mais nous nous stationnons dans la rue la plus mouvementée, pleine de commerces de boucherie, de restaurants, de fruits de mer et de légumes, et des souvenirs tant qu'on en veut. Les piétons sont nombreux et les autos rares, comme partout au Mexique. Nous choisissons de nous installer près d'une petite boulangerie où nous achetons des tomates et du coke. Les gens sont curieux et regardent dans les vitres. Ils s'intéressent énormément aux étrangers. Philippe a remarqué de beaux gâteaux et veut en avoir un. Il nous le demande une fois, deux fois et comme nous ne lui répondons pas, il sort ses pesos et va s'en acheter un, suivi de Guillaume qui l'imite.

Après avoir bien mangé et bu un bon café, il nous faut trouver un coin plus tranquille pour dormir. Un petit hôtel ouvert 24 heures avait attiré notre attention, et nous nous stationnons devant. Il est 22 heures 30 environ et le truc c'est d'arriver assez tard, de ne pas sortir du motorisé et de se coucher immédiatement pour laisser les éventuels bandits dans l'ignorance quant au nombre de personnes à bord.

Comme nous nous apprêtions à nous coucher, un camion s'arrête derrière nous et trois Mexicains, que j'aperçois dans mon miroir, en descendent. Ils ont l'air de travailleurs de la construction. Deux autres viennent les rejoindre et ils prennent une bière et parlent fort. Ils regardent le motorisé, l'examinent de tous les côtés pendant que nous nous faisons des idées: Vont-ils s'asseoir sur le pare-chocs arrière qui est très invitant? Nous sentons que ça bouge. J'ai envie de m'en aller mais est-ce que ça va les insulter ? Enfin, je me décide, je mets le moteur en marche, ils se lèvent et me regardent partir. Au bout de la rue, je me rends compte qu'ils sont derrière moi. Je suis inquiet et je tourne pour revenir à mon point de départ, et eux...ouf! continuent et prennent la grand-route. Je les regarde s'éloigner d'un ou deux kilomètres. Nous avons eu peur pour rien, mais par mesure de prudence, nous changeons d'endroit pour nous installer devant un autre hôtel où il y a de l'activité. Nous nous endormons au son de la musique et aux bruits des gens qui circulent.

Vers 7 heures, nous sentons qu'il y a du va-et-vient dans la rue. Je lève le rideau; nous sommes sur l'avenue principale qui conduit au marché du centre-ville. Tout le monde passe ici pour aller vendre leurs marchandises. Il y a plusieurs enfants qui ont des poches sur le dos, remplies de toutes sortes d'articles variés, des fruits, des chandails, etc., pour vendre aux touristes.

Nous décidons d'aller déjeuner près de la mer en suivant le chemin le long de l'eau. Au Mexique, nous avons le choix, nous pouvons stationner partout. Après avoir mangé, comme il fait déjà très chaud, nous en profitons pour nous baigner. Notre choix s'arrête sur un endroit public où il commence à y avoir des baigneurs. Un bon café, une baignade et hop! nous reprenons la route. La journée se déroule tranquillement.

Nous arrêtons dans une ville touristique dont j'ai oublié le nom, tellement propre que nous nous croirions en Europe. De nombreuses boutiques, de bons restaurants, nous font penser sérieusement que les Américains sont ici.

Nous avons traversé au moins trois barrages de l'armée aujourd'hui. Ça ne nous dérange plus, nous commençons à nous y faire, mais il ne faut pas être pressé, d'ailleurs personne n'est pressé ici. Ils vivent leur moment présent. Nous sommes presque arrivés à «Pié de la costa» où vivent nos amis Doris et Jean-Jacques.

Nous avançons. D'un côté c'est la baie d'Acapulco et de l'autre la lagune. Nous arrêtons prendre des renseignements à une espèce d'épicerie. On nous répond que c'est plus loin, près de l'armée, car là aussi il y a l'armée et plus spécialement l'aviation. Les Mexicains aiment bien encore jouer aux soldats. En remontant dans le motorisé, je vois arriver une fourgonnette de couleur orange et coïncidence, c'est notre ami avec sa voiture toute décorée de fleurs. Il est accompagné d'un très jolie jeune fille entièrement habillée de blanc. C'est son anniversaire, elle a 15 ans. La coutume est très répandue qu'à l'occasion des 15 ans de leurs enfants, les parents dépensent beaucoup d'argent, selon leur rang dans la société, pour cet événement qui est aussi important qu'un mariage. Cette fois-ci c'était la fille d'une commerçante du village.

Jean-Jacques nous trouve un petit coin dans sa cour, pour nous installer où nous nous sentions vraiment à l'abri près du mur de 4 mètres qui entoure son terrain. Le commerce de nos amis est constitué de quelques chambres, d'un petit restaurant, où l'on sert, en plus des mets québécois, club sandwiches, hamburgers, œufs, etc., et d'un bungalow qu'on peut louer. Il y a aussi les appartements des maîtres et un bain tourbillon. Nous pouvons aller sur la plage, faire du hamac ou s'asseoir aux tables, lire, écrire ou faire de l'aquarelle, ce que j'ai fait pendant quelques jours.

Le dernier soir que nous étions chez nos amis, nous avons été invités à une fête mexicaine à l'occasion du couronnement de la commerçante de l'année. Nous avions la chance d'être assis à la table d'honneur avec le général de la base militaire et l'amie commerçante de Jean-Jacques, qui était l'élue de la soirée. Elle était trop timide pour monter sur la tribune et elle a envoyé sa fille de 14 ans qui était belle comme un cœur. Ghislaine et moi étions constamment émerveillés de voir leur habillement constitué de robes de dentelle et de soie. Ils vivent quelquefois dans des maisons de terre battue et lorsqu'il y a une fête, ils sortent leurs somptueux habits de cérémonie.

Avant de repartir pour Tasco, il nous faut acheter quatre jours de plus d'assurances pour terminer notre voyage, et notre hôte nous reconduit jusqu'au bureau d'assurances où nous lui faisons un dernier bonjour en lui remettant un grand drapeau du Québec pour son hospitalité. C'est un homme de grand cœur. Nous passerons à Acapulco parce qu'il nous manque un autocollant pour mettre sur notre motorisé. Ça fait de la couleur!

Nous sommes à 200 kilomètres de Tasco, la ville de l'argent. Les routes sont très belles, sauf celles très escarpées près de Tasco qui est haut perchée dans les montagnes, mais mon dieu que c'est beau! Nous sommes donc arrivés dans la ville aux 600 boutiques d'argent où il y a plusieurs milliers de personnes qui vivent de ce commerce. Il y a des mines d'argent dans les environs et beaucoup d'artisans font chez eux des bijoux. Contrairement au Mexique en général, il n'y a que très peu de place pour stationner, les rues étant très étroites, il faut laisser notre motorisé en bas et monter à pied. Nous avons vu le plus beau marché public du Mexique, accroché au flanc de la montagne, et deux églises perchées au sommet. La vue est magnifique et d'en haut nous voyons les marchands de fleurs et de fruits qui colorent les rues abruptes avec leurs étals. Ce serait extraordinaire à peindre. Je rêve d'y retourner et d'habiter le petit hôtel dans le centre où les prix sont très raisonnables. Ce soir nous coucherons dans un stationnement de taxis près de l'hôpital. Nous avions peur d'être dérangés, mais encore là, personne ne s'est occupé de nous.

On nous avait tellement dit que c'était dangereux et que la police pouvait nous arrêter sans aucune raison, que le lendemain nous repartions pour Mexico avec un peu d'appréhension. La route est assez bonne, mais nous prenons la voie «periferico» qui passe aux abords de Mexico. Près de 1 heure 30 pour dépasser Mexico, une ville de 25 000 000 habitants, autant que pour tout le Canada, imaginez cela, dans un si petit espace. Nous n'avons pas été déçus de cette ville, au contraire nous l'avons trouvée assez propre, oui... mais, il y a un mais... nous n'avons pas pénétré au cœur, dans les taudis. Nous n'avons pas été arrêtés par la police non plus.

Mais en parlant de police, j'ai oublié de vous raconter ce qui est arrivé à Tasco. Nous marchions sur la rue pour revenir à notre motorisé, un policier arrête une Volkswagen avec plusieurs passagers à bord, comme toujours toute la famille, des cousins, des amis. Un Mexicain en sort et prend dans sa poche 20 000 pesos et, en gambadant comme un gars chaud, le tend au policier. Ce dernier regarde de chaque côté, personne ne le voit, (pourtant nous sommes à côté de lui) il prend les billets et donne une tape amicale sur l'épaule du contrevenant et tout rentre dans l'ordre.

Mon âme est dans une grande paix, un ami sculpteur est arrivé et s'est installé sur le terrain du Centre d'Art où il fait de la sculpture à la scie mécanique. Cela fait de l'activité et je suis ravi.

Depuis hier, le 20 juillet, mes pensées sont abondantes face à mon art. J'ai un projet dans la tête pour agrandir le restaurant du Centre d'Art, mais plus j'y réfléchis, moins ça me tente de le faire, mon intuition me dit d'attendre car quand j'ai démarré le Centre, justement l'art devait être ma priorité et non le contraire.

Je pense qu'au lieu d'aller davantage du côté de la restauration, je continuerai mon œuvre à l'extérieur, ce qui veut dire la construction d'une vingtaine de radeaux transportant plusieurs personnages qui s'en retournent à la mer, après être venus du fond des mers pour se réunir près du globe terrestre, et repartir par un autre moyen pour aller rayonner ailleurs vers d'autres terres ou d'autres cieux.

Les gens m'apportent beaucoup et je me sens rempli d'eux. Les années précédentes, ils m'enlevaient toutes mes forces et ils me vidaient complètement. Je crois qu'ils me comprennent mieux depuis que j'ai affiché des écrits sur les murs du Centre. Je devrais dire que nous nous comprenons mieux. Hier j'ai parlé longuement avec deux filles, dont une m'a impressionné; elle me posait tellement de questions que j'avais le sentiment qu'elle avait mis le doigt tout près, qu'elle touchait presque le but. Cela m'a inspiré un texte que je vous présente avec tout mon cœur. Je l'ai vécu pour mieux l'écrire et je vous l'offre:

ÊTRE

Beaucoup de personnes ont peur d'être elles-mêmes
ou de le devenir

Elles ont peur de perdre des amis, des êtres chers

Elles ont peur de perdre leur femme, leur mari

Si vous essayez d'être vous-mêmes, il y a des êtres
qui vous entourent qui partiront

Ceux-là ce sont les faux; ceux qui se collent à vous
pour en tirer quelque chose

Les vrais resteront; eux, ils se contentent de votre
rayonnement, de ce que vous êtes vraiment

Si vous apprenez à être une personne qui se suffit
et qui ne s'accroche pas, ils resteront encore plus
car ils n'auront jamais peur d'être exploités par vous

N'oublions pas que lorsque nous enchaînons les autres,
nous nous enchaînons aussi

Pour être nous-mêmes, il faut d'abord laisser l'autre
ÊTRE

Fiez-vous à votre intuition, laissez-la vous guider,
elle ne vous trompera pas, et si un jour vous échouez
dans une démarche, dites-vous que c'est par cette expérience que vous deviendrez encore plus vous-mêmes.

Marcel Gagnon

Chapitre 12

Depuis notre départ pour le Mexique, nous avions la ferme intention d'aller visiter St-Michel-de-Allande à 320 kilomètres de Mexico, et à environ 480 kilomètres de la frontière des États-Unis, en plein cœur du Mexique.

Nous arrivons dans cette magnifique ville de 60 000 habitants; pour le Mexique, ce n'est pas beaucoup. En haut de la colline, nous découvrons une ville très propre aux couleurs pastel, très artistique avec ces nombreuses galeries d'art. Nous nous stationnons près d'un parc et ses bancs tout autour du carré, les petits restaurants avec terrasse, les boutiques, les gens de toutes les races qui flânent et prennent le temps de vivre nous laissent croire que nous sommes en Europe.

J'adresse la parole à un couple que je pensais être des Canadiens. Elle, assez jeune mais un peu vieillie par la vie, lui, plus vieux avec une barbe d'artiste. Elle me répond d'abord en anglais. Je lui redemande en espagnol si elle est artiste et s'il y a une galerie où les gens parlent français. Elle m'indique l'adresse en espagnol et comme nous terminons notre conversation, un policier vient nous informer, très gentiment d'ailleurs, que nous ne sommes pas sur un stationnement de longue durée, sans rien demander... et nous dit à quel endroit nous stationner. Nous étions tout près et au Mexique c'est très facile et jamais compliqué de trouver ce que l'on cherche.

Nous nous stationnons pas loin de la galerie où nous sommes reçus par une Mexicaine qui ressemble étrangement à une Chinoise; elle apprend le français d'une Québécoise qui arrive au même moment et donne son cours. Très gentille elle aussi, et très heureuse de rencontrer des Québécois. Elle nous raconte qu'elle connaît des amis québécois, dont un architecte et son épouse, qui est décoratrice. Ces derniers sont arrivés ici pour travailler depuis trois ans et le font sans permis de travail, comme ça se fait souvent au Mexique. Il faut dire qu'il y a plusieurs étrangers ici, dont un quartier complet d'Américains à leur retraite qui ont un peu bâti cette ville. C'est sans doute pour cette raison que le marché des arts est si florissant.

Nous sortons de la galerie et nous marchons un peu avant d'entrer dans une boutique où deux hommes parlent ensemble en français, l'un avec un accent et l'autre en québécois dont on reconnaît tout de suite le parler. Je lui dis bonjour et nous commençons à nous entretenir. C'était l'architecte dont le professeur de français nous avait parlé. Comme le monde est petit! Il m'invite pour le lendemain à un vernissage des œuvres d'un autre Québécois, sculpteur de Chicoutimi qui est au Mexique depuis trois ans lui aussi. Il n'y a que deux heures que nous sommes arrivés ici et nous connaissons déjà plusieurs personnes. En plus, nous avons deux invitations à des vernissages. Le soir nous visitons la ville à pied et nous dormons dans le motorisé à l'endroit où nous nous étions stationnés quelques heures auparavant. C'est une ville tellement paisible que même à 23 heures, des personnes âgées se promènent seules. Ça ne doit pas être si dangereux que ça, pensons-nous.

Nous dormons profondément, et au matin le bruit des camions se rendant au marché nous réveille. Nous nous habillons rapidement, nous avons hâte de voir le joli marché dans la rue. C'est toujours un spectable, surtout l'avant-midi.

Nous avons le goût d'acheter plein de fruits et de légumes.

Nous passons une journée à nous laisser vivre, minute par minute; le temps n'a plus d'importance puisque nous sommes bien. Le soir, nous nous mettons sur notre 36 pour assister au vernissage. Je suis pressé de rencontrer notre compatriote. En arrivant à la galerie, de la musique très forte et des olé! olé! arrivent jusqu'à nous. Il y a un spectacle très mouvementé de danse espagnole avec des souliers à claquettes. La danse terminée, je me présente à l'artiste et nous parlons de notre travail. Il apprécie les cartes postales des sculptures que je lui laisse; c'est réciproque, moi aussi j'aime ce qu'il fait.

Il nous invite à lui rendre visite à sa maison qu'il a louée pour 90 dollars par mois. Nous notons son adresse même si je ne crois pas que nous aurons le temps. Il nous offre de nous héberger ou de nous trouver un endroit en le prévenant à l'avance, si un jour nous revenons dans le coin. Je lui fais savoir que j'aimerais venir travailler ici; ça sent les artistes et la créativité.

Nous changeons de rue pour aller à l'autre vernissage et nous retrouvons l'architecte et son épouse qui nous invitent chez eux pour le lendemain. Ce vernissage-là est beaucoup plus huppé. Les invités sont surtout des Américains âgés. Le prix des tableaux est plus élevé, mais ils ne sont pas plus beaux. La télévision est présente et l'artiste est habillé tout en blanc. Je n'ai vraiment rien contre les homosexuels, mais il a de ces manières, ma chère! Ça lui fait un genre, ça lui donne un style, mais je ne le retrouve pas dans ces tableaux. Je me dis en dedans qu'il triche sur un des plans, mais pour moi ça n'a pas d'importance. C'est son problème. Chacun est responsable de lui-même dans cette vie et c'est une des grandes justices de ce monde réel ou irréel où nous vivons.

Comme l'architecte s'est montré très gentil, nous acceptons son invitation. Ça nous intéressait aussi de voir la villa qu'il avait louée pour 400 dollars par mois. Au Mexique, comme les cours intérieures sont très populaires, de la rue, les maisons ne disent rien, mais lorsque nous réussissons à y pénétrer par la grande porte, nous sommes souvent surpris de notre découverte. Le terrain est entouré d'un mur de 4 mètres de haut, qui jadis servait à se protéger contre les attaques durant les révolutions. De chaque côté de l'entrée principale, ce sont les pièces: quatre chambres, deux cuisines, deux salles de bain, un coin terrasse avec un arbre majestueux et au bout de la cour, un jardin dont les semis sont sur le point de lever. Dans un autre coin, des outils pour travailler le bois, dans une construction seulement recouverte d'un toit comme on en voit souvent ici, pour les ateliers. Après une bonne conversation, un bon café, nous nous informons encore des prix pour louer un atelier pour peindre si nous revenons l'an prochain. Des salutations, et nous voilà repartis en direction de la frontière qu'il nous faut traverser avant la tombée de la nuit.

Il fait encore chaud, mais un petit vent nous effleure de temps à autre. Nous vivons un peu de nostalgie, ça va faire presque six semaines que nous sommes au Mexique. Pour le dernier 300 kilomètres, nous repassons par le même chemin qu'à l'arrivée et nous revoyons les mêmes routes, les mêmes villages tout en parlant de nos peurs du début. Comme ça nous paraît loin et invraisemblable.

Nous refaisons les 20 kilomètres du désert en ligne droite, et bien que nos peurs se soient presque totalement dissipées, nous demeurons prudents, car il paraît que c'est dans le désert que les bandits opèrent. Ils peuvent voir très loin de chaque côté et c'est très facile de bloquer la route et de se cacher pour dévaliser les gens qui roulent en solitaires. Nous essayons de suivre une file de voitures ou de nous tenir derrière un gros camion. Dans le fond de nous-mêmes, quand nous décidons d'aller au Mexique, nous devons accepter cette éventualité. Tout va bien et à 50 kilomètres de la frontière, de l'autre côté d'une courbe, il y a de nombreux camions et des autos immobilisés. Des personnes vêtues de jeans, des civils avec des fusils et des mitraillettes. Je pourrais dire que notre cœur s'est arrêté quelques instants. Pour nous, voir des soldats armés était devenu habituel, mais cette fois-là, nous avons vraiment pensé que c'était les bandits dont nous avions entendu parler de temps en temps par les touristes.

Nous devons nous arrêter comme tout le monde mais notre inscription Canada sur le motorisé attire leur attention. Ils nous font signe de passer. En les dépassant, nous nous apercevons que deux d'entre eux sont habillés en pantalon noir, chemise blanche. Un troisième se tient sur le bord de la route avec un gyrophare portatif à la main. Nous nous disons que ça doit être un des nombreux corps de police qu'il y a au Mexique. Chaque comté a le sien propre, en plus de tout ce qui est fédéral pour les drogues. Nous nous sommes rendus compte, Jean-Jacques nous l'ayant fait remarquer, que dans les villes, certaines personnes s'achètent des uniformes et font la circulation. Ils font stationner les autos le long des trottoirs et ça sans aucune autorisation. Ils se font donner des pourboires et se créent ainsi un emploi.

À 20 kilomètres des États-Unis, nous repassons par le même poste de frontière; ils nous demandent le même papier pour le motorisé, celui qu'il nous avait donné en entrant à 20 kilomètres plus loin. Je trouve cela très étonnant. Je vous ai déjà dit que j'avais été mécanicien et par le fait même j'ai remarqué qu'à partir de l'avant-poste, il y avait des centaines de cours d'autos usagées, toutes cordées en rangées, près de la route. En arrivant dans Laredo, chaque petite rue, chaque champ est plein de ces vieilles autos. Il y en avait même des millions, en pièces détachées.

Je commence à réfléchir à tout ça pour m'apercevoir que si l'on reste dans les 20 kilomètres de la frontière, on peut entrer au Mexique avec une auto à vendre et revenir à pied sans que personne ne s'en rende compte. Ça fait une zone de marché noir extraordinaire, car au Mexique, il y a très peu d'autos et elles coûtent très cher. Je connais quelqu'un qui a payé une auto 500 dollars ici au Québec et l'a revendue 1 500 dollars en pièces détachées. Ça donne sûrement à ces fonctionnaires l'occasion de se faire un petit supplément, car on peut tout acheter ici, eux y compris. Je devrais dire, surtout les fonctionnaires. C'est dommage, mais la corruption est rendue jusqu'à l'os comme on dit. Si tu suis cette voie, jamais de problèmes avec eux, mais si tu essaies de suivre la voie démocratique, tu peux faire de la prison pour un billet de stationnement.

Nous arrivons donc à la frontière où il y a tout un embouteillage. Aucune indication où passer; est-ce qu'il faut descendre de voiture, est-ce qu'il faut encore payer pour sortir, où est-ce que nous remettons notre visa que tout le monde nous dit si précieux et que si nous ne l'avons pas, nous avons des problèmes. En tout cas, pour arriver à un poste de péage qui nous coûte 4 000 pesos, environ 40 cents, nous devons traverser une rivière en pensant que c'est de l'autre côté que nous les remettrons, nos fameux visas. Arrivés là, ce sont des Américains, très bien organisés. Des flèches nous indiquent où aller et des endroits précis sont prévus pour nous garer. Ils ont aussi des chiens policiers.

De nombreux policiers, sans mitraillettes ceux-là, à qui nous voulons remettre nos visas, nous font signe de les mettre à la poubelle, que ce n'est plus utile, puisque nous sommes maintenant aux États-Unis. Ils sourient de voir comment ça peut se passer de l'autre côté. Ils visitent le motorisé et c'est le réfrigérateur qui les intéresse. Ils commencent à le vider et Ghislaine leur offre un sac à poubelle. Ils sortent d'abord nos petites limettes que nous aimions tant, puis les bananes et tout ce qui est fruits ou légumes tout en nous posant quelques questions que nous avons de la difficulté à saisir, surtout que ça fait six semaines que nous parlons espagnol. Il faut nous donner le temps de nous réajuster à une autre langue. Mais ça nous donne quand même un atout de ne pas comprendre, ça dure moins longtemps. C'est ce qui est arrivé et ils nous ont laissés repartir.

Nous reprenons la route pour quelques centaines de mètres, nous n'avons plus rien à manger. Il nous faut trouver une épicerie, non un «bon MacDonald». Les enfants sont fous de joie et les parents aussi. Ça va nous changer. En cherchant le restaurant, nous nous rendons compte que juste le fait de traverser une rivière peut changer énormément les choses. C'est propre, plus de poubelles, partout les pelouses, les trottoirs, les lumières de rues, des enseignes par milliers, les États-Unis quoi!

Après un délicieux hamburger au restaurant, où la serveuse essaie de nous parler gentiment en français — espagnol — anglais, juste assez pour nous comprendre, nous nous sentons très heureux. Il fait toujours beau, le soleil ne nous a pas quittés depuis près de six semaines. Nous avons presque hâte à nouveau, de savoir à quoi ça ressemble la pluie.

Malgré un voyage sans incident fâcheux, nous nous sentons un peu plus en sécurité d'avoir traversé de nouveau la frontière. Ce sont vraiment deux mondes très intéressants, chacun avec leurs avantages et leurs inconvénients, deux mondes qu'il faut connaître pour mieux apprécier le nôtre au Québec.

Destination, le supermarché. Si vous nous aviez vus, de vrais fous! Nous étions excités comme des enfants. En plus, aux États-Unis, ils sont tellement grands et bien pensés pour mieux vous faire dépenser. Nous sommes ressortis de là avec de la bouffe pour plusieurs repas, même un peu trop pour la place que nous avions dans l'armoire.

Après être allés au bureau de change, fini les pesos; maintenant ce sont les dollars, ceux qui coûtent cher mais qui ne se dépensent pas plus vite. Cependant il y a bien des choses qui sont moins coûteuses aux États qu'au Québec, surtout la viande et spécialement le poulet. Je ne comprends pas comment on peut élever du poulet pour ce prix-là. Le colonel Sanders, lui, l'a compris.

Nous nous engageons sur l'énorme autoroute qui nous

mène à St-Antonio, deux voies de chaque côté, plus une route pour les résidents. Je n'en ai jamais vu de si belles dans aucun autre pays du monde. Nous nous arrêtons à une halte routière pour prendre un léger goûter avec un délicieux café maison. Nous sortons nos chaises et nous prenons le temps, peut-être le dernier chaud soleil de ce voyage. Il ne faut pas oublier que nous sommes à la fin de février et que chaque jour de voyage nous rapproche un peu plus du froid.

Nous roulons, roulons pendant des heures, le paysage défile et se ressemble. Nous prenons des autoroutes qui passent en dehors des villes. Nous nous arrêtons pour l'essence et la nourriture. Nous dormons dans les haltes routières et en passant à Memphis, nous allons voir la maison d'Elvis. Il commence à faire très froid et je suis inquiet parce que je n'ai pu vider les réservoirs. J'arrête pour vérifier, je crois bien qu'ils sont gelés. La prochaine fois, nous le saurons.

Il tombe quelques brins de neige et en arrivant à Memphis, nous trouvons facilement l'endroit qui est très bien indiqué. C'est très américain. En arrivant, nous apercevons le gros avion et les deux petits, dont un à réaction. Il y a aussi son autobus motorisé, un des premiers aux États-Unis m'a-t-on dit. Il faut se rappeler qu'on parle d'il y a 25 ans environ. Nous entrons à l'intérieur de la place et faisons le tour complet. Quatre dollars à quatre, c'est quand même assez dispendieux, mais nous sommes ici pour tout voir, la maison, le musée, le cinéma, un petit autobus. On nous montre la maison d'Elvis de l'autre côté de la rue, elle est en pierres grises, une grande cour avec de gros arbres en bordure du chemin, une clôture solide en fer forgé.

Nous arrivons à la maison et le chauffeur nous parle dans son téléphone portatif, il faut attendre. On n'entre pas comme on veut chez Elvis! Deux guides arrivent bien vêtus en bleu marine. Une fille et un gars, ils sont beaux, ils ont été choisis. Nous entrons et nous voyons, d'un côté la salle à manger avec un tapis blanc-beige. De l'autre côté, tout au bout de la grande pièce, un piano, il paraît qu'il est plaqué or 18 carats! Plus loin, un salon assez grand avec des meubles très lourds en bois de couleur sombre.

Dans le sous-sol, quatre téléviseurs encastrés et plusieurs divans et fauteuils, un bar, plusieurs miroirs et à côté, une salle assez petite pour sa table de billard, avec une draperie toute plissée, très foncée, qui fait complètement le tour de la pièce. Ce qui m'a le plus surpris dans cette maison, c'est qu'il n'y avait pas beaucoup d'éclairage naturel et j'ai été très déçu que les pièces soient si petites, pour un millionnaire. Dehors, sa vieille Cadillac rose et ses deux Studbaker, refaites pour lui, genre Batman. Une motoneige, deux motos et un petit bateau, tous anciens naturellement.

De là, nous passons au Musée où il nous faut encore montrer notre billet. Je crois que c'est ce dernier qui m'a davantage plu, surtout de voir tous ces disques d'or. Il y en a des centaines, ses habits, ses guitares. C'était vraiment le roi, il faut l'admettre. En sortant, nous passons près de la piscine en décomposition. Plus loin, les trois tombes avec plaques de bronze: son père, sa mère et lui. Après une visite de l'autobus qu'il paraît qu'Elvis conduisait souvent pendant que son chauffeur se détendait à l'arrière, nous regardons encore les avions qui sont assez particuliers et qui en ont sûrement inspiré d'autres pour faire ce qu'on appelle aujourd'hui des jets privés.

Nous quittons le stationnement en grelottant, nous ne nous étions pas suffisamment habillés. Le changement a été trop rapide. Un petit coup de tequila apportée de l'autre pays et nous repartons en pensant Canada-Québec. En roulant de façon soutenue, nous devrions être aux chutes Niagara dans deux jours. Le lendemain, nous avons fait 1000 kilomètres dans notre journée et le soir, vers 21 heures, nous étions tout près des chutes américaines. Nous avions promis aux enfants de leur faire voir de nuit et de jour, mais sans être chauvins, celles du Canada sont plus belles et il faut les voir pour comprendre. Nous décidons donc de passer la frontière le soir-même sans trop réfléchir.

Le douanier, qui a l'air gelé, parle français, ce qui nous a fait du bien au cœur. Ils nous posent quelques questions par la porte entrouverte de sa cabane. Je crois que même si nous avions été des contrebandiers, personne ne l'aurait fait sortir dehors.

Passé le pont, nous nous dirigeons directement près des chutes, en motorisé, ce qui n'est pas permis durant l'été. Elles sont magnifiques par temps froid et les enfants sont vraiment ébahis de voir l'une des plus belles merveilles du monde. Que la nature fait de grandes choses!

Nous remontons à bord un peu tremblants et je leur demande: «Qu'est-ce que vous diriez si on s'offrait un grand luxe? Si on louait un motel», le premier d'ailleurs, en deux mois de voyage. Nous n'avions pas pris de douche depuis trois ou quatre jours, toutes nos couvertures étaient glacées, et tout le monde très heureux de ma proposition. Un motorisé, c'est extraordinaire durant la belle saison mais à 15 ou 20 sous zéro, c'est moins drôle. Autant les supermarchés nous avaient rendus un peu fous, autant le motel avec salle de bain et ses deux grands lits nous avaient rendus encore plus fous. En plus, un téléviseur, nous n'en croyions pas nos yeux. Nous nous pensions dans un palace! Ça me rappelait une sensation vécue quand j'étais jeunesse et que je passais deux mois en forêt comme bûcheron, quand j'en ressortais, je me croyais venu d'un autre monde.

Le lendemain, déjeuner au restaurant s'il-vous-plaît. Comme ça fait du bien d'entendre parler français. Ghislaine a prononcé une parole historique, je la cite: «Je ne pensais pas un jour me croire chez nous en Ontario.» Pour une nationaliste, c'est toute une réflexion! Une autre promesse tenue aux enfants, c'est de leur faire voir la tour du CN, qui est une réalisation très émouvante; on se sent très petit au pied de ce monstre.

Le soir nous couchons à Montréal; nous y passerons deux ou trois jours pour régler quelques affaires. Je dois m'acheter de la glaise et des feuilles de cuivre pour faire des émaux.

Aujourd'hui, le 2 août 1989, 18 heures 30, je suis stationné à Saint-Donat, dans le comté de Rimouski. Je me prépare à jouer une partie de balle molle. J'étais très fatigué et j'ai pris la journée de congé, mais en fin de compte, j'ai fait des commissions, je suis allé collecter quelques loyers. J'ai remercié Dieu souvent durant la journée, pour tout ce qu'il me donne. Je me sentais profondément en accord avec cette source d'énergie disponible et si réceptive. J'ai toujours l'impression que je peux demander beaucoup à cette vie.

Je suis allé à l'imprimerie pour mes textes-poster. Ça m'en fera cinq imprimés maintenant. Certaines librairies ésotériques de Montréal seraient probablement intéressées à en offrir à leur clientèle. Je crois que je vais les faire distribuer au Québec. Depuis deux ans que je me pose la question: Qu'est-ce qui va arriver de mon évolution en peinture et en sculpture? Je crois bien que j'ai trouvé la réponse: elle sera maintenant entremêlée de paroles. Il me semble que j'ai tellement de choses à dire... que je commence et continue immédiatement par un conte intitulé: **«Les bouleaux au pays de la créativité»**

Chapitre 13

LES BOULEAUX AU PAYS DE LA CRÉATIVITÉ

Je me promène, je ris, je pleure. J'aime la vie et la vie m'aime. Est-ce que je rêve? Suis-je éveillé? Je laisse mes sentiments créer ce que je ne connais pas consciemment.

Je me promène toujours, je suis interrogateur. Je traverse des coulées dans une forêt d'érables et de bouleaux; quelques merisiers reviennent rappeler cette présence du pays de l'intuition, du pays d'un autre monde; mais se peut-il que dans chaque monde, chaque dimension, il y ait plusieurs dimensions? Le merisier qui veut aider l'humain en lui envoyant de l'intuition — se peut-il qu'il ne soit pas seul à vouloir aider l'homme?

Est-ce que le bouleau, qui est un arbre si beau, si blanc et si pur d'apparence, aurait un rôle à jouer lui aussi avec cet humain? Beaucoup de bouleaux ont l'air de vivre un conte de fées. Êtes-vous déjà allés dans cette dimension de l'arbre? Avez-vous déjà remarqué leurs feuilles, leurs branches et leurs têtes? Pourquoi perdent-ils eux aussi des branches, comme les humains leurs cheveux? Est-ce que les bouleaux peuvent nous aider? Est-ce qu'ils nous envoient des messages?

Tout en les observant, je m'apprête à leur demander

comment nous pouvons parler à un arbre, si nous n'en devenons pas un. Je m'assois en face d'un long bouleau. J'ai déjà entendu dire que les grands peintres chinois, avant de peindre un arbre, s'assoient devant pendant des jours, des semaines et parfois des mois, pour devenir cet arbre, le comprendre, faire un avec lui.

Je décide d'en faire autant, d'essayer d'entrer en contact avec lui. Je suis donc assis depuis quelques minutes et j'ai un peu de difficulté à m'arrêter, mon esprit se perd, il vagabonde. Je m'oblige à une respiration très rythmée. Je ralentis les battements de mon cœur. Je cherche cette dimension. Je regarde ces écorces qui sont à première vue toutes blanches, mais pas exactement. Elles sont parfois d'un rose pêche tirant vers le brun. Je remarque les racines, elles ne sont pas toutes recouvertes par le sol; elles ressemblent beaucoup à l'homme. Certaines sont profondément enracinées dans la terre et d'autres restent à la surface. Ils sont à la merci de toutes les intempéries. Ils seront les premiers à mourir. Je remarque que ceux dont les racines sont découvertes sont vides à l'intérieur; il leur reste seulement un peu d'écorce qui commence à pourrir.

À côté de ce beau grand bouleau, des petits arbres, des jeunes repousses. Ils ressemblent étrangement à de petits bouleaux. On sent qu'ils ont de la misère à grandir; les bouleaux adultes, tout en voulant les protéger de leur ombre, les étouffent. Mes yeux grimpent le long du tronc où de petites branches sèchent et meurent. Elles sont sûrement les premières cellules qui n'en peuvent plus d'exister. Il faut qu'elles cèdent la place à d'autres qui sont plus hautes, de grosses branches plus fortes, qui ont envie de vivre pleinement leur vie.

Plus je remonte des yeux dans cet arbre, plus je m'aperçois que les branches sont petites et que l'écorce change de couleur. Le gros bouleau, dans sa tête, redevient enfant. Je me fais une réflexion: est-ce que le bouleau serait comme l'homme, en même temps adulte et enfant.

J'ai oublié l'abandon et je reviens à mon mantra. Que c'est donc difficile l'abandon, que c'est donc difficile de faire confiance à cette énergie qui est au-dessus de nous.

L'être humain est tellement enraciné dans ces vieilles habitudes qu'il doit souvent combattre jusqu'à la fin de sa vie pour arracher un peu de sagesse.

Sans m'en rendre compte, j'étais en train de recommencer mes lamentations, mais je ne pourrai plus revenir en arrière, maintenant que j'ai goûté à l'extase et au bien-être que chaque être recherche. Mon seul désir est de devenir ce bouleau qui me semble si fort et si serein en même temps.

Je n'ai plus besoin de mantra. Ma chaleur intérieure est si intense et si bienfaisante que c'est avec une grande joie que j'y reviens. Mes pieds sont devenus des racines, mes vêtements des écorces, mes doigts des branches, avec de petites repousses toutes vertes, mes cheveux font une longue tresse qui monte vers le ciel, mon nez est maintenant une ancienne branche cassée par le vent, mes yeux sont des crevasses où vont pousser de nouvelles branches et je ferai de ma bouche un endroit pour faire un nid d'oiseau.

Mes sentiments, même s'ils mettent plus de temps, changent eux aussi. Il est plus facile de modifier notre apparence extérieure qu'intérieure. J'ai de la difficulté à comprendre tout ce qui se passe. Je suis rempli de nouveaux sentiments qui doivent combler le vide creusé par le détachement et l'abandon. Les nouveaux sentiments tentent de prendre la place de tout ce que la société m'a appris depuis quarante ans. Ça ne se fait pas sans effort et sans bruit, mais c'est merveilleux d'être aussi bien, de se sentir enfant.

Oui... pourquoi je me sens enfant? Est-ce que les bouleaux seraient des enfants, pourtant s'ils sont comme les merisiers, ils doivent posséder une grande sagesse. Se peut-il que les enfants soient de grands sages?

Je me laisse donc remplir de ces nouveaux sentiments qu'on appellera abandon, spontanéité, intuition, acceptation, gaieté, bonheur, bien-être, et en même temps, un vide extraordinaire, un vide rempli de rien, qui me donne un bonheur inexplicable.

Subitement, je comprends les arbres. Je suis devenu un bouleau. Je me sens comme lui, et je décide donc d'adresser la parole à mon ami d'en face.

Comment tu t'appelles? Je m'appelle «Éternel». Es-tu féminin ou masculin? Tu sais, au pays des bouleaux, il n'y a pas de sexe... il n'y a pas de sexe et nous sommes éternels. C'est pour cela que tu t'appelles ainsi? Oui, c'est pour cela.

Je continue ma conversation et je lui demande: J'aimerais bien savoir pourquoi je me sens comme un enfant, c'est merveilleux, dans le monde des humains, j'avais 40 ans? Ici tout le monde veut rester enfant, personne n'est intéressé à devenir adulte dans les sentiments. Nous le devenons dans le corps, mais jamais dans l'âme. Pourquoi, vous ne voulez pas être adultes? Tu sais, ici, au pays des bouleaux, nous avons un rôle à jouer avec les humains; la plupart ne le savent pas, mais c'est nous qui nous occupons de la créativité chez les enfants et de la sagesse des grands-parents.

Mais c'est pas juste pour les grands!... Nous avons pourtant essayé chez les adultes, mais c'est peine perdue,... et plus aucun bouleau ne veut s'en occuper. Ils avaient trop de peine et l'impression de gaspiller leur temps. Mais ce ne sont pas tous les adultes qui sont comme ça? Oui, c'est vrai - mais il y a des adultes qui sont restés enfants. Ce sont pour nous des privilégiés. Ceux-là, nous nous en occupons.

Mais moi, je suis très inquiet pour les autres, qu'est-ce qui va leur arriver à ces adultes? Tu sais, ils ne savent pas toujours, ils vivent dans un monde extérieur. Ils s'étourdissent dans l'argent, la boisson, les drogues, la télévision, les sports et même le travail quelquefois et ils ne prennent pas de temps pour leur intérieur. Je crois qu'ils ne souffrent pas vraiment, pas encore. Ils ne connaissent pas autre chose pour le moment. Ils se pensent heureux comme ça, il ne faut pas les forcer.

Mais comment peuvent-ils s'en sortir, c'est très dangereux de vivre ainsi? Oui, c'est très dangereux. Le temps que ça dure, ça va, ils ne se rendent pas compte, jusqu'au jour de l'avertissement. Pour quelques-uns c'est la crise cardiaque, pour d'autres c'est la mort d'un proche ou la dépression nerveuse. Mais c'est payé cher; il n'y aurait pas un moyen de les avertir autrement? Je ne crois pas ; nous avons essayé par différents moyens de leur parler: par des amis, par l'exemple des enfants, par le conseil des aînés. Mais l'humain, celui qui ne se fie qu'à ses sens extérieurs, ne peut ressentir que s'il a un avertissement sévère. C'est pour ça que nous voyons des gens dans notre entourage changer après une épreuve.

Et après, nous avons la possibilité de nous en occuper puisqu'ils sont à nouveau réceptifs aux sentiments que nous leur manifestons. Ils redeviennent comme nous, des enfants. Ils retrouvent la capacité d'abandon, naturellement, comme les enfants, et peuvent être vrais. Ils ne trichent plus et souvent leurs proches ne les reconnaissent plus, mais ils gardent leurs vrais amis, les faux repartent et ils s'en font de nouveaux. Ils n'ont plus besoin de tricher, ils apprennent à faire confiance et à ne plus s'en faire pour l'avenir.

Ceux qui s'inquiètent le plus, la plupart du temps, sont ceux qui sont les mieux nantis financièrement. Les humains ont un comportement très bizarre et difficile à comprendre pour nous les bouleaux: plus ils ont de richesse, plus ils ont peur de la perdre ou d'en manquer un jour, contrairement aux plus démunis qui, eux, souvent font davantage confiance en la vie et vivent au jour le jour.

L'homme peut être riche de bien des façons, nous ne sommes pas contre la richesse matérielle, mais cela peut être fantastique de pouvoir posséder les deux, richesse et abandon. Après un avertissement, certains y arrivent et peuvent en faire profiter les autres.

Mais si quelqu'un n'a eu que très rarement de bonnes pensées, a fait une vie de déchéance, s'est drogué, a fait du mal aux autres et à lui-même, est-ce qu'il peut redevenir enfant?

L'humain pour son grand malheur a d'énormes difficultés à comprendre qu'on ne peut changer le passé, mais je te le dis, on peut tout recommencer. **À cette minute précise, le pire des humains pourrait tout changer, dès maintenant, s'il le décidait, parce que la vie ne continue pas, elle commence à l'instant.**

Table des matières